XAVIER MORET

# La isla secreta

## Un recorrido por Islandia

punto de lectura

Título: La isla secreta

*Barquillo, 21. 28004 Madrid (España)* www.puntodelectura.com

ISBN: 84-663-1193-9
Depósito legal: M-40.830-2003
Impreso en España – Printed in Spain

Diseño de colección: Ignacio Ballesteros

Impreso por Mateu Cromo, S. A.

XAVIER MORET

# La isla secreta

## Un recorrido por Islandia

*La isla secreta* resultó galardonada con la quinta edición del Premio Grandes Viajeros, convocado por Ediciones B y la compañía Iberia. El jurado, reunido en Madrid el 19 de septiembre de 2002, estaba compuesto por Rosa Montero, Luis Sepúlveda, José Ovejero, Miquel de Palol, Mariano López, Andrés Castro, Santiago del Rey y Blanca Rosa Roca.

*A Einar Örn Gunnarsson y a su familia.*
*Sin ellos me habría sido imposible conocer*
*los secretos de Islandia.*
*Sin ellos, este libro no existiría.*

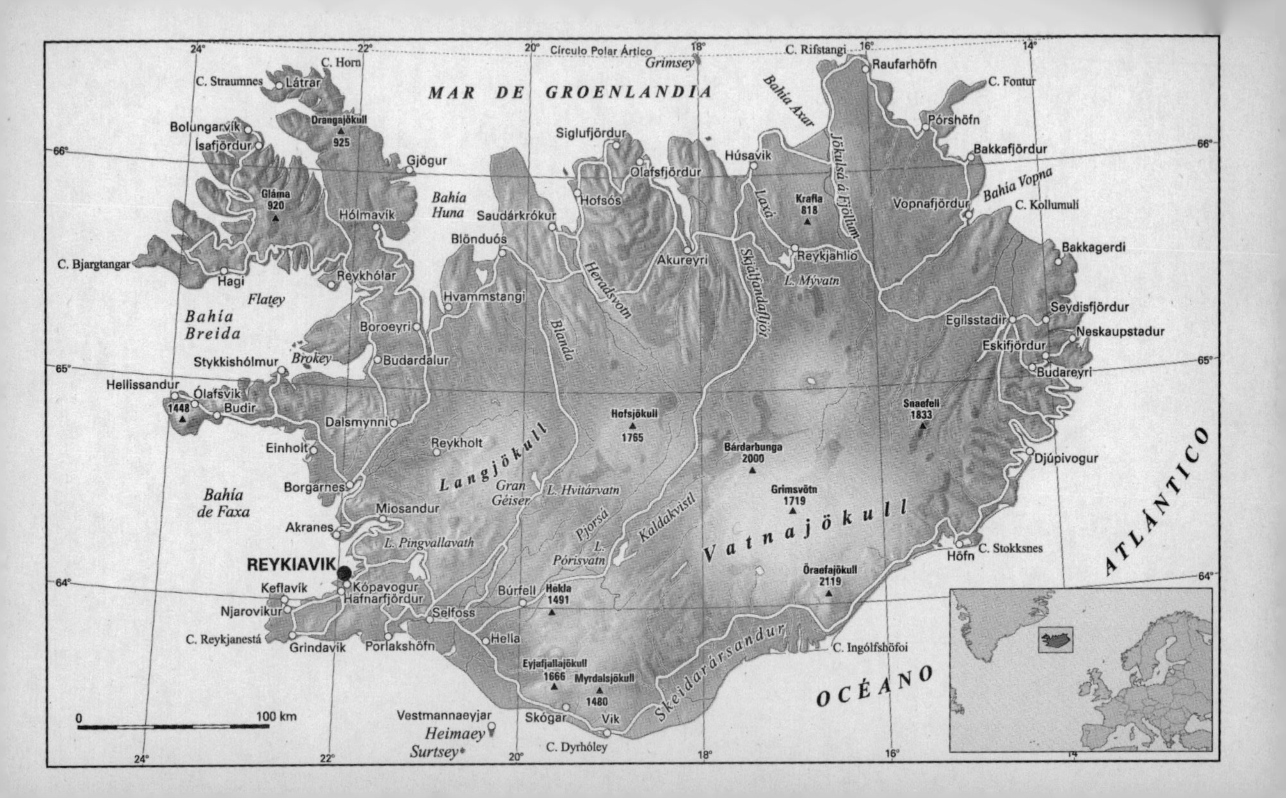
MAR DE GROENLANDIA
OCÉANO ATLÁNTICO
Círculo Polar Ártico
Grimsey
C. Horn
C. Straumnes
Látrar
Drangajökull 925
Bolungarvík
Ísafjördur
Gjögur
Gláma 920
Hólmavík
Bahía Huna
C. Bjargtangar
Hagi
Reykhólar
Flatey
Bahía Breida
Boroeyri
Brokey
Stykkishólmur
Budardalur
Hellissandur
Ólafsvík
1448
Budir
Dalsmynni
Einholt
Borgarnes
Bahía de Faxa
Akranes
REYKIAVIK
Keflavík
Kópavogur
Hafnarfjördur
Njarovikur
C. Reykjanestá
Grindavík
Porlakshöfn
Miosandur
L. Pingvallavath
Reykholt
Langjökull
Gran Géiser
L. Hvitárvatn
Saudárkrókur
Blönduós
Hvammstangi
Blanda
Siglufjördur
Hofsós
Olafsfjördur
Heradsvotn
Akureyri
Hofsjökull 1765
Pjorsá
L. Pórisvatn
Búrfell
Hekla 1491
Selfoss
Hella
Eyjafjallajökull 1666
Myrdalsjökull 1480
Skógar
Vik
C. Dyrhóley
Vestmannaeyjar
Heimaey
Surtsey
Húsavik
Laxá
Skjálfandafljót
Krafla 818
Reykjahlio
L. Mývatn
Bahía Axar
C. Rifstangi
Raufarhöfn
Jökulsá á Fjöllum
C. Fontur
Pórshöfn
Bakkafjördur
Bahía Vopna
Vopnafjördur
C. Kollumulí
Bakkagerdi
Seydisfjördur
Egilsstadir
Neskaupstadur
Eskifjördur
Budareyri
Snaefell 1833
Bárdarbunga 2000
Grimsvötn 1719
Kaldakvistl
Vatnajökull
Djúpivogur
Höfn
C. Stokksnes
Öraefajökull 2119
C. Ingólfshöfoi
Skeidarársandur
0
100 km
24°
22°
20°
18°
16°
14°
66°
65°
64°

# I

# UNA ISLA REMOTA

# 1

## Lava, viento y lluvia

Llovía cuando aterricé en el aeropuerto de Keflavík una noche de finales de junio. Llovía con fuerza y soplaba un viento huracanado que zarandeaba de tal modo el avión que, incluso cuando se detuvo junto a la terminal, observé entre los pasajeros cruces telegráficos de miradas cargadas de desconfianza. Lo primero que vi por la ventanilla fue a un hombre equipado con un llamativo uniforme color naranja que avanzaba por la pista luchando abiertamente contra el viento: inclinado hacia delante, las piernas separadas, la ropa hinchada y la cabeza gacha. Se movía con tanta torpeza que parecía un astronauta caminando por la Luna o un explorador en el Polo Norte. Al fondo, entre jirones de niebla, se intuía una cadena de montañas negruzcas; del otro lado se extendía un mar hostil, de un antipático color gris metálico, con olas de consistencia marmórea que morían en una desolada playa volcánica. Con aquella imagen me bastó para comprender que la naturaleza es la gran protagonista en Islandia y, a juzgar por lo que estaba viendo, no se trataba de una naturaleza amable, a escala humana, sino de una naturaleza dispuesta a mostrar y a ejercer todo su poder. En aquella isla volcánica alejada de todo —«el fin del mundo civilizado» para griegos y romanos—, estaba claro que el hombre era tan sólo un accidente mínimo, insignificante.

—¡Díos mío, qué paisaje más triste! —murmuró mi vecina de asiento, una anciana norteamericana que, según me había dicho, pensaba estar el tiempo justo en el aeropuerto antes de proseguir viaje hacia Nueva York—. ¿Y aquí vive gente?

Le contesté lo que había leído en la guía: que unas 280.000 personas viven en Islandia. Teniendo en cuenta que la superficie del país es mayor que la de Portugal, hay que admitir que está poco poblado —sus habitantes cabrían en una población del tamaño de Burgos—, pero si tenemos en cuenta las duras condiciones de la isla, se trata de una cantidad nada desdeñable. La pregunta es inevitable: ¿Qué hacen 280.000 personas en un sitio inhóspito como éste? ¿Por qué no piden todos la cuenta y se largan a vivir bajo el agradable sol mediterráneo?

En los pasillos del aeropuerto me llamó la atención un anuncio de la Oficina de Turismo que decía: «En Islandia, durante todo el verano mantenemos la luz encendida para usted». Era un detalle que se agradecía, aunque en aquel momento —tres de la madrugada y cielo muy nublado— la luz de medianoche pasara más bien desapercibida. Obsesionado, sin embargo, por aquella luz misteriosa que me atraía como un imán, revisé los motivos que me habían llevado a renunciar al cálido verano español para instalarme una temporada en Reykiavik.

Desde un punto de vista práctico, mi viaje respondía a la amable invitación de un amigo islandés que había tenido el detalle de conseguirme una casa donde, por lo menos en teoría, podría terminar sin agobios una novela que se me resistía. Si uno busca aislarse y librarse de las constantes interferencias del día a día, no hay duda de que Islandia es el lugar ideal: en primer lugar, porque es una isla remota; en segundo, por el radical contraste de culturas; y, por último, por su clima extremo. En este sentido, estaba seguro de que en Reykiavik no me asaltarían las urgencias cotidianas, ni me agobiaría el teléfono ni perdería la concentración.

Tengo que admitir, sin embargo, que más allá de los aspectos prácticos, aquel viaje significaba para mí la culminación de un anhelo que llevaba años larvado en mi interior. Viajamos casi siempre persiguiendo un sueño. Desentrañar el rastro de este sueño resulta a veces muy sencillo; es el caso, por ejemplo, del viaje al Caribe, que uno asocia de inmediato con la ausencia de problemas y con la felicidad en estado puro, como si las preocupaciones fueran incompatibles con las playas de arena blanca, los cocoteros y la música de salsa. En otras ocasiones, sin embargo, el sueño que motiva el viaje es impreciso y vago, probablemente porque está ligado a rincones oscuros de la memoria que se ocultan tras las brumas de la infancia, a asuntos postergados desde hace demasiado tiempo.

Soy de los que opinan que viajar siempre vale la pena. Por un lado, porque nos permite romper con la rutina y soltar el molesto lastre que conlleva la vida cotidiana; por otro, porque, al confrontarnos con otros paisajes y otras gentes, nos fuerza a la mirada interior y, por lo tanto, a conocernos mejor. De entre todos los viajes, mis preferidos son los que se asocian a los sueños de rastro enmarañado. Los prefiero porque tienden un puente que enlaza directamente con la imaginación infantil; es decir, con la imaginación en estado puro; y porque a menudo se relacionan con lecturas hechas muchos años atrás; probablemente con alguna novela que, ya en el momento de leerla, provocó en el lector ese escalofrío que contagian las grandes obras, ese estremecimiento que le hizo soñar que algún día viajaría a ese país lejano que le tentaba con su magia desde las páginas de un libro.

Si cierro los ojos y buceo en la memoria, lo primero que relaciono con Islandia es un mapa. Me veo a mí de niño, en la escuela, mirando fijamente el gran mapa de Europa colgado de la pared y preguntándome qué hace una isla perdida en un lugar tan remoto, más cerca de Groenlandia y de los fríos del Ártico que del continente europeo. Creo que ya desde aquel momento quise saber cómo era la vida en Islandia, qué sentía la gente que vivía en un país que, de tan inhóspito, había merecido el nombre de Tierra de Hielo. Había más cosas, por supuesto, que me guiaban hacia Islandia. Por ejemplo, la descripción que de la isla hizo el explorador griego Pytheas, ciudadano de

Marsella, en el siglo IV antes de Jesucristo. La llamó «Última Thule» y, aunque no consiguió llegar hasta ella, dejó escrito que se encontraba a seis días de navegación del norte de las Islas Británicas, muy cerca del «océano helado». También me fascinaba que el primer colono de Islandia, el vikingo Ingólfur Arnarson, no hubiera llegado a la isla hasta 874, después de verse forzado al exilio por haber dado muerte a los hijos de un noble en Noruega. Islandia, a partir de entonces, se presentó como un refugio lejano, como una especie de tierra prometida cubierta de hielo, para quienes huían de las imposiciones del rey Harald. Con anterioridad, sólo algunos eremitas irlandeses se habían aventurado a vivir en la isla.

*Viaje al centro de la Tierra*, de Julio Verne, con su espectacular inicio en un volcán islandés, fue otro de los estímulos de mi interés por Islandia, así como *La estrella misteriosa* de Tintín, con el navío polar *Aurora* haciendo escala en la costa norte de la isla. También tenía en mente, por supuesto, las historias de vikingos, en especial las encarnadas por Kirk Douglas y Tony Curtis en la película de Richard Fleischer de 1951, *Los vikingos*; y el sol de medianoche y los mitos de las valquirias y del Valhalla, un paraíso lleno de placeres... La lectura de las sagas, a la que llegué a través del entusiasmo del gran Borges, también me remitía a aquella isla remota que encajaba en mi imaginación con el mundo fantástico soñado por Tolkien en *El señor de los anillos*. Me fascinaba, por último, saber que Islandia era el último secreto de Europa, el país más diferente y menos conocido del llamado Viejo Continente.

Mientras me dirigía hacia la aduana, recordé el poema de Borges titulado «Islandia», incluido en su libro *Historia de la noche*:

*Qué dicha para todos los hombres,*
*Islandia de los mares, que existas.*
*Islandia de la nieve silenciosa y del agua ferviente.*
*Islandia de la noche que se aboveda*
*Sobre la vigilia y el sueño.*
*Isla del día blanco que regresa,*
*Joven y mortal como Baldr.*
*Fría rosa, isla secreta*
*Que fuiste la memoria de Germania*
*Y salvaste para nosotros*
*Su apagada, enterrada mitología,*
*El anillo que engendra nueve anillos,*
*Los altos lobos de la selva de hierro*
*Que devorarán la luna y el sol,*
*La nave que Algo o Alguien construye*
*Con uñas de los muertos.*
*Islandia de los cráteres que esperan,*
*Y de las tranquilas majadas.*
*Islandia de las tardes inmóviles*
*Y de los hombres fuertes*
*Que son ahora marineros y barqueros y párrocos*
*Y que ayer descubrieron un continente.*
*Isla de los caballos de larga crin*
*Que engendran sobre el pasto y la lava,*
*Isla del agua llena de monedas*
*Y de no saciada esperanza.*

*Islandia de la espada y de la runa,*
*Islandia de la gran memoria cóncava*
*Que no es una nostalgia.*

Entré en Islandia, pues, entré en la «isla secreta», flotando en un mundo de sueños etéreos, como si me llevara en brazos el mismísimo Borges, pero no tardé en bajar de la nube al recibir la primera lección práctica sobre el país. Nada que ver ni con su historia épica ni con las sagas, ni con los vikingos ni con la poesía. Tras pasar el control de la policía, los pasajeros islandeses, ante mi sorpresa, ignoraban su cita con la recogida de equipajes y acudían en masa hacia otro sector del aeropuerto.

—¿Adónde se dirigen? —le pregunté en inglés a una azafata de sonrisa promiscua.

—A comprar —me respondió encogiendo los hombros, como si la respuesta fuera evidente—. Aquí en Islandia el viajero tiene la ventaja de poder comprar en las tiendas libres de impuestos no sólo al salir del país, sino también al entrar.

Viendo mi desconcierto ante el alcance de tal medida, añadió:

—El alcohol es muy caro en Islandia. Los impuestos son tan altos que sale muy a cuenta comprarlo en el aeropuerto. ¿Conoces a alguien en la isla?

Le dije que sí, mientras recordaba que mi amigo Einar había prometido que vendría a recogerme.

—Pues si quieres hacerle feliz —sentenció—, llévale una botella. Seguro que te lo agradecerá. O mejor dos.

Seguí el consejo de la azafata y compré un par de botellas de vino. En la cola de la caja, un grupo de islandeses sonrientes exhibían botellas de todo tipo, con abundancia de las de alta graduación, y aparatosos *packs* de latas de cerveza. Contemplé mis dos botellas con un orgullo no disimulado, como si en ellas estuviera la prueba de mi rápida integración en la sociedad islandesa. Me sentía como si hubiera superado el primer rito de paso.

Mi amigo Einar me esperaba al otro lado de la aduana. Nos abrazamos, nos obsequiamos con rápidos resúmenes de los respectivos momentos personales e intercambiamos novedades sobre amigos comunes. Volvió a abrazarme, diría que esta vez con más fuerza, cuando le entregué las dos botellas de vino.

—Con ellas brindaremos por mi primera hija —celebró—, una encantadora belleza vikinga que nació hace unos días y que aún no tiene nombre.

Le felicité por su nueva condición de padre y echamos a andar hacia la salida. Junto a la puerta, un termómetro indicaba que la temperatura exterior era de tan sólo tres grados. Si aquello era el verano, ¿cómo debía de ser el invierno en Islandia?

Para llegar hasta el coche de Einar había que andar un escaso centenar de metros bajo una lluvia intensa y racheada. Corrí cuanto pude, pero quedé tan empapado como si hubiera atravesado un túnel de lavado.

—Ya es mala suerte llegar en un día así —le comenté a Einar mientras intentaba sacudirme el agua, ya en el refugio del coche.

—¿A qué te refieres? —me miró por encima de sus gafas con una expresión de sabio despistado.

—Al tiempo, por supuesto —indiqué con una mano el temporal de lluvia y viento.

—Ah, eso... —sonrió, quitándole importancia—. Si quieres conocer a fondo este país tendrás que mojarte mucho más.

—¿Bromeas?

—¡Claro que no! —dijo muy serio—. Islandia no es un país fácil, pero si tú pones de tu parte, algún día podrás llegar a comprender todo su encanto.

No dije nada, pero me asaltó una poderosa nostalgia cuando recordé que en aquellos días en España lucía un sol espléndido y los termómetros marcaban más de treinta grados.

—Qué le vamos a hacer, nos gusta vivir aquí —prosiguió Einar—. Islandia tiene un magnetismo que espero que descubras algún día.

Eché una ojeada a través de la ventanilla. Sólo veía rocas negras, desolación, lluvia y niebla. Ni rastro de magnetismo por ningún lado.

—De todos modos, si no te gusta el clima —añadió Einar en plan conciliador—, sólo tienes que esperar cinco minutos... Aquí el tiempo cambia muy de prisa. Más que clima, tenemos muestras de distintos climas a lo largo del día.

Soltó una carcajada, puso en marcha el motor y maniobró para salir del aparcamiento. En el camino hacia Reykiavik se extendía un inmenso campo de lava azotado por la lluvia; sin casas, sin árboles, sin gente, sin nada. Sólo rocas negruzcas de aspecto amenazador. Daba la impresión de que la carretera por la que circulábamos era el único lugar habitable de la isla.

—Es extraño que no haya ningún árbol —comenté.

—Hace años desapareció una persona en Reykiavik y se temía que hubiera sido asesinada —empezó a contar Einar sin que yo supiera a qué venía—. Como no la encontraban, la policía acudió a una vidente alemana. Ésta puso los ojos en blanco, entró en trance y anunció que el cadáver había sido enterrado en un bosque cerca de Reykiavik. La policía optó por prescindir de sus servicios. Enseguida vieron que era un *bluff*.

—¿Por qué? —pregunté, intrigado.

—Pues está claro, porque en Islandia no hay bosques. Los había hace muchos siglos, pero los cortaron para construir barcos y casas. Ahora es una isla pelada como el cráneo de un muerto.

Varias toneladas de rocas más allá, Einar continuó su lección.

—Los islandeses tenemos fama de estar un poco locos y de ser muy imaginativos, pero la verdad es que estamos muy apegados a la realidad —reflexionó sin dejar de mirar la carretera—. Somos tan pocos que nos conocemos todos y lo sabemos casi todo de los demás. Esto es algo que nos afecta a los escritores. Aquí, por ejemplo,es muy difícil escribir novela policíaca. Si alguien cuenta en un libro que hubo un asesinato en tal pueblo, la gente piensa: «No, no es verdad, no hubo ningún muerto. De haber ocurrido, yo lo sabría». Es la desventaja de vivir en un país pequeño. Queda poco margen para la imaginación...

Unos kilómetros más adelante, como si obedeciera a un extraño conjuro, el viento se calmó y cesó de llover. Las nubes se empezaron a abrir por el oeste y una increíble luz nórdica, de tonos suaves y dorados, arrancó insospechados colores del paisaje.

—Lo ves, ya ha cambiado el clima —celebró Einar—. Cuando sale el sol, ni que sea por unos minutos, todo cobra una nueva dimensión y te das cuenta de lo maravilloso que es vivir aquí. La luz es la auténtica magia de Islandia.

Tenía razón. Lo que antes era negruzco y lóbrego, ahora aparecía lleno de color y de vida, como una imagen falseada por ordenador. Incluso el mar parecía ahora menos hostil, como si de repente Islandia hubiera adoptado la escenografía heroica que reclamaba la épica de las sagas. Para redondear el efecto, al otro lado de la bahía asomó la silueta nevada de un volcán que parecía dibujado por un niño: una pirámide casi perfecta, con la cima nevada y truncada por el cráter.

—Es el Snaefellsjökull —comentó Einar—. Es un buen augurio que se deje ver a tu llegada a la isla. Hay quien dice que es mágico e incluso hay una secta de colgados que acuden allí a ver ovnis.

Mientras Einar hablaba, recordé el documento del profesor Arne Saknussemm que cita Julio Verne en *Viaje al centro de la Tierra*: «Desciende por el cráter del Snaefellsjökull cuando la sombra de Scartaris lo acaricie, antes de las calendas de julio, viajero audaz, y llegarás al centro de la Tierra. Yo lo hice». Todo un desafío, sobre todo teniendo en cuenta que las calendas de julio se acercaban.

—Es el volcán de Julio Verne, ¿no? —le pregunté a Einar.

—Sí, pero no te fíes mucho de lo que escribió. Si fuera cierto, como él dice, que a través de su cráter se llega a Sicilia, todos los islandeses estaríamos tomando el sol en Taormina...

Me quedé un buen rato observando el volcán, como hipnotizado, hasta que Einar hizo que me fijara en un conjunto desordenado de rocas volcánicas que había junto a la carretera. Eran de gran tamaño y tenían unas formas grotescas en las que, por poco que uno se esforzara, era fácil descubrir siluetas camufladas de extraños animales.

—Por ahí debe de haber elfos —comentó mi amigo con una sonrisa maliciosa.

—¿Elfos? —repetí, sintiendo de pronto que me adentraba de lleno en el mundo fantasioso de Tolkien.

—Mucha gente cree en ellos en Islandia —añadió—. Un 60% de la población, según una estadística reciente. Los llaman «seres ocultos» y como por definición no pueden ser vistos por los humanos, no hay manera de demostrar que no existen —soltó una risa seca—. Cuentan que viven en rocas como éstas y la gente los respeta tanto que incluso desvían carreteras para no molestarles.

—¿Lo dices en serio?

—Por supuesto. A veces pienso que los elfos tienen más derechos que los humanos, y eso que no pagan impuestos.

Cuando todavía no habíamos salido del campo de lava, aparecieron las primeras casas: granjas aisladas o cabañas de veraneo, con paredes de madera pintada de rojo y tejados de chapa ondulada. Eran como un error flagrante de guión en medio de aquel paisaje lunar, como si algún subalterno hubiera metido la pata. Poco después divisamos unas fábricas —no demasiadas y sin humo de ningún tipo— y, un poco más allá, los suburbios de Reykiavik.

A primera vista, la capital de Islandia ofrecía una imagen agradable, con unos cuantos barrios esparcidos entre la bahía y una serie de colinas que se sucedían al pie de las montañas, extensas zonas verdes, muchas casas bajas con jardín —la mayoría con alegres tejados de colores— y algunos edificios altos —pocos, de líneas modernas— en el centro y en las afueras. Era muy tarde, o quizá muy temprano: las cuatro de la madrugada. Apenas si circulaban coches y nadie andaba por las calles. Reykiavik era como una ciudad fantasmal, envuelta en un manto de silencio. Lo que más me llamó la atención fue la pureza del aire, la nitidez de los perfiles y cómo destacaban desde lejos las luces de los semáforos y los pocos neones que, a pesar del sol de medianoche, permanecían encendidos.

Al llegar a una zona comercial presidida por un gran anuncio de cerveza Egils, Einar giró hacia la izquierda y se adentró por un barrio con aspecto de urbanización a la americana. Tras doblar un par de esquinas, aparcó frente a una casa rodeada de un jardín sin valla. Tenía tres pisos, paredes de hormigón pintadas de blanco y grandes ventanales sin cortinas.

—El piso inferior será tu casa durante una buena temporada —me informó mientras abría la puerta—. Es pequeño, pero tiene de todo. La casa pertenecía al escritor Gunnar Gunnarsson, pero a su muerte, en 1975, la dejó a la Asociación de Escritores...

Me bastó con un vistazo para comprobar que todo en la casa respondía al más puro estilo nórdico: diseño elegante y sobrio, madera clara, colores suaves, suelo de corcho... Nada desentonaba. A través de las ventanas, como si un imaginario director de cine hubiera dispuesto un potente foco que resaltara la belleza del lugar, entraba una luz inquietante que parecía augurarme una feliz estancia en Islandia.

—Es perfecta —aprobé—. Será como vivir en un catálogo de Ikea.

—Ahí enfrente tienes un parque —me indicó Einar—, por si te apetece hacer *footing*.

Una suave pendiente cubierta de césped se extendía ante la casa y desembocaba en un gran parque con numerosas instalaciones deportivas. Más allá del parque, en la distancia, se adivinaba el centro de Reykiavik.

Me despedí de Einar dándole las gracias y, mientras intentaba conciliar el sueño, me entretuve hojeando la guía telefónica. Unas cuantas páginas en inglés informaban de lo que convenía hacer en caso de que una tragedia asolara el país. Había varias posibilidades: erupción volcánica, terremoto, viento huracanado... Me dormí antes de decidir con qué opción me quedaba.

## 2

## Reykiavik, un pueblo cosmopolita

Si a uno le secuestran en cualquier lugar del mundo, le ponen una venda en los ojos y lo trasladan a un zulo en Reykiavik, adivinará que está en Islandia en cuanto se duche (suponiendo que los secuestradores tengan el detalle de proporcionarle un zulo con ducha). Y es que el olor del agua en este país no admite dudas: se trata de un agua sulfurosa, procedente del subsuelo volcánico, que deja flotando en el ambiente un «suave y delicado olor a huevos podridos».

Por fortuna, el olor se esfuma al poco de cerrar el grifo. De lo contrario, me temo que el país olería a mil demonios. Pero no hay nada que temer en este sentido. Al contrario: Reykiavik es un modelo en cuanto a atmósfera no contaminada. El aire está tan limpio que se diría que lo estrenan a diario. Esto se nota en especial en sitios como Laugardalur, el agradable parque que se extendía frente a mi casa islandesa. Basta con sentarse en uno de sus bancos, o con tumbarse en su cuidado césped, para que a uno le den ganas de llenarse los pulmones de un aire que de tan puro parece que tiene el poder de rejuvenecer. No es por casualidad que en Islandia la gente vive más que en cualquier otro país: las mujeres mueren de media a los 80,2 y los hombres a los 73,9. Se suele atribuir la longevidad a la pureza del aire, aunque hay maliciosos que insinúan que en realidad se debe a que los islandeses viven congelados buena parte del año.

No había mucha gente cuando llegué al parque de Laugardalur en mi primer día en la isla. Al cabo de unos minutos, sin embargo, como si obedecieran a una consigna secreta, empezaron a aparecer decenas de ciudadanos que avanzaban como *zombies* en busca de un lugar en la hierba.

—¿Se prepara alguna manifestación? —le pregunté a mi vecino de banco, un anciano de aspecto respetable.

—Oh, no —sonrió mientras levantaba su bastón hacia el cielo—, es sólo que ha salido el sol.

Las nubes, en efecto, habían tenido el detalle de abrirse y lucía un sol que a mí me parecía tímido y vacilante, pero que para los islandeses era algo así como la gloria absoluta.

La gente que invadió el parque al conjuro del sol era mucha y variada: ejecutivos de maletín con un *hot dog* en la mano, parejas enamoradas, jóvenes atléticos de andar acelerado, madres con niños, madres sin niños, niños sin madres, adolescentes con pinta de *rapers*, niños con *skate*, viejos de andar vacilante... Había una clara mayoría de rubios de ojos azules, aunque una estadística advierte que sólo un 55% de los islandeses son rubios y un 75%

tiene los ojos claros. A los islandeses, por cierto, les encantan las estadísticas. Las tienen para todo y siempre a mano. Supongo que cuando en un país viven sólo 280.000 personas no cuesta demasiado conseguir una muestra representativa. Unas cuantas llamadas selectivas y en una mañana liquidas el trabajo.

Mientras estaba sentado en mi banco, contemplando el incesante ir y venir de islandeses, una joven alta y rubia se despojó del chándal, lo dejó en el suelo y se entretuvo haciendo flexiones no muy lejos de donde yo me encontraba. Todo muy normal, hasta que se alejó corriendo. Fue entonces cuando le di el alto con un grito. La chica se giró, sorprendida, y con ella todos los que estaban por aquella zona. Por lo visto, lo de gritar en un parque público es como una ofensa nacional en Islandia. Abrumado, me limité a indicarle con un gesto el chándal y a decirle en inglés que olvidaba su chaqueta.

Ella me aclaró con una sonrisa forzada que no pensaba irse de viaje al continente, que sólo iba a dar una vuelta por el parque. A continuación, ladeando la cabeza, me preguntó de dónde era. Cuando le dije que de España, se echó a reír.

—Ahora entiendo por qué eres tan desconfiado —dijo, comprensiva—. Estuve hace dos años en Barcelona y me robaron en las Ramblas. Pero, no te preocupes: aquí es distinto. Nos conocemos todos y apenas si hay robos.

Dejó el chándal donde estaba y se marchó a la carrera.

Poco después llegó otro joven. Ató el chándal a una farola y se alejó haciendo *footing*. Lo etiqueté como un nuevo representante de la alegre y confiada Islandia, pero, dado que no terminaba de fiarme del célebre factor «aquí nos conocemos todos», y dado que no tenía ninguna intención de convertirme en vigilante ocasional de chándales, decidí continuar mi atenta exploración de la ciudad.

Reykiavik, por suerte, es una ciudad de tamaño discreto que puede visitarse a pie. Se vanagloria de ser la capital situada más al norte del mundo y de tener, en el conjunto de su aglomeración, unos 170.000 habitantes (o sea, un 60% de los islandeses), pero lo cierto es que muchos de sus barrios tienen un apacible aspecto de pueblo. Las casas son bajas, de dos o tres pisos, y las más antiguas tienen los muros exteriores recubiertos de una chapa ondulada pintada de colores llamativos; el rojo y el verde son los que más abundan. Los problemas de tráfico son inexistentes. El centro, estructurado alrededor de la calle Laugavegur, está lleno de cafés modernos, restaurantes de todas las tendencias y tiendas de ropa con las mejores marcas internacionales, pero lo cierto es que el aroma que desprende es el de una calle mayor de pueblo donde nunca pasa nada. De un pueblo cosmopolita, por supuesto, con un alto nivel de vida y precios por las nubes, ya que casi todo es importado.

Estaba encantado con mi primer paseo por Reykiavik, pero cuando entré en un café para reponer fuerzas comprobé que no todo el mundo compartía mis sentimientos.

—Me habían dicho que Laugavegur era la calle más importante de Islandia —se quejó un italiano desde la mesa vecina— y esperaba algo así como los Champs Elysées o Via Veneto. ¿Quién iba a imaginarse una calle tan ridícula?

Le recordé que en Islandia todo es pequeño y que éste era uno de sus encantos. El italiano se encogió de hombros y bebió un sorbo de *capuccino*. Un instante después, con una mueca de asco, sentenció que era el peor *capuccino* que había tomado en su vida. Me desentendí de él: no me gusta esa gente que viaja para certificar que en ningún sitio se está como en casa.

Me había citado con Einar en un lugar muy céntrico, frente a la oficina del primer ministro, pero tuve que preguntar un par de veces para cerciorarme de que en aquella casa discreta, con aspecto de granja y con ventanas que daban directamente a la calle, sin vigilancia de ninguna clase, era donde despachaba el primer ministro de Islandia.

—¿Cómo es que no hay policía en la puerta? —le pregunté a Einar en cuanto llegó.

—¿A quién podría interesarle atentar contra el primer ministro de Islandia? —se encogió de hombros Einar—. Piensa que aquí hay tan poca violencia que los policías no llevan pistolas.

—¿Y qué pasa si hay un atraco?

—Aquí nunca pasa nada... —alejó mi hipótesis con un gesto cortante de la mano—. Bueno, sí, hubo un atraco en 1984, el primero de la historia del país, pero cogieron enseguida al atracador. Aquí no puedes guardar un secreto mucho tiempo.

—Hizo una pausa y añadió—: Piensa que no hace mucho los presos podían salir a la calle de día, pero tenían la obligación de ir a dormir a la cárcel. Si llegaban tarde no les dejaban entrar por mucho que insistieran.

Tuve que admitir que, por lo que había visto hasta entonces, no había nada en el ambiente de Reykiavik que sugiriera violencia. Al contrario, todo incitaba a una calma infinita: desde las casas, que parecían salidas de un cuento de hadas, hasta la gente, que paseaba sin prisas. Para corroborar el ambiente de pueblo, Einar no paraba de saludar a amigos y conocidos.

—Éste es un mundo tan cerrado —me explicó mientras paseábamos— que la mayoría de islandeses puede trazar su árbol genealógico hasta los primeros pobladores de la isla. No exagero —aclaró al ver mi expresión de incredulidad—. En el *Libro de los Pobladores*, del siglo XII, están escritos los nombres de los cuatrocientos primeros colonos de la isla y es fácil seguir el rastro de las distintas familias.

Con el tiempo aprendería que Einar tenía razón: la genealogía es una de las grandes pasiones de Islandia. Sea por las sagas, por el *Libro de los Pobladores* o por la rica tradición de memoria oral, lo cierto es que a los islandeses les encanta remontarse unas cuantas generaciones en el tiempo. La polémica se desató en 1998, cuando el Gobierno islandés concedió a la empresa DeCode Genetics el derecho exclusivo a elaborar un archivo genético de todos los habitantes de la isla. Según el acuerdo, la empresa podía utilizar el historial médico de toda la población de Islandia durante doce años con el objetivo de localizar genes específicos, el del Alzheimer por ejemplo, y encontrar a partir de ahí medicamentos más eficaces.

—A muchos islandeses no nos gusta que hurguen en nuestro pasado con fines lucrativos —comentó Einar—. Nos hacen sentir como ratas de laboratorio.

Polémicas aparte, hay que admitir que Islandia es un país ideal para los genetistas, ya que se calcula que en toda la historia de la isla ha habido sólo unos 800.000 habitantes. Por si esto no bastara, han vivido aislados, tienen un historial médico bien documentado y presentan un espectro genético homogéneo, lo que convierte a los islandeses en excelentes candidatos a cobayas.

Mientras Einar me hablaba de la dimensión ética del problema, caminamos hasta Arnarhóll, la Colina del Águila, donde hay un monumento dedicado a Ingólfur Arnarson, el primer colono de Islandia.

—La granja de Ingólfur Arnarson estaba muy cerca de aquí —me indicó Einar—. Por allí, donde ahora se levanta el Parlamento.

Me mareaba la familiaridad con que mi amigo hablaba de la historia de su país. Se refería a Ingólfur Arnarson, un hombre que había vivido más de mil años atrás, como si le hubiera conocido, como si la historia de Islandia fuera una especie de parque temático en el que era muy fácil orientarse.

—El secreto está en las sagas —sonrió cuando le expresé mi sorpresa—. En mi país todo está escrito en los libros. Para vosotros, los extranjeros, las sagas son escritos épicos medievales, pero para nosotros, los islandeses, son textos que hablan de cosas que sucedieron de verdad, de personajes de carne y hueso, de nuestros antepasados.

—Pero supongo que no os lo tomáis todo al pie de la letra —objeté mientras recordaba algunos hechos sobrenaturales de las sagas. En la *Saga de Njal*, por ejemplo, se lee: «La segunda noche, las espadas saltaron de las vainas en las naves de Brodir y hachas y lanzas volaron por el aire y pelearon. Las armas persiguieron a los hombres. Éstos quisieron defenderse con los escudos, pero muchos fueron heridos y un hombre murió en cada nave».

—Hay algo de imaginación, ciertamente —concedió Einar—, pero la base es real. Cuando viajemos por la isla podrás ver que muchos de los lugares que describen todavía siguen existiendo.

Paseamos por el puerto al bajar de la Colina del Águila. Había poca actividad. Barcos anclados, gente que caminaba con parsimonia, casas como de juguete y coches que circulaban sin agobios. Al fondo se veían las montañas nevadas y un denso abigarramiento de nubes en el que se diría que se estaba fraguando el fuego de los dioses.

Si echamos un vistazo a la historia, sorprende descubrir que Reykiavik tenía sólo 167 habitantes en 1786. En 1806 la cifra había llegado a los 300, de los que, por cierto, 27 (¡casi un 10 %!) estaban en prisión por embriaguez pública. En 1899 la ciudad superó el listón de los 2.000 habitantes y en 1918 tenía ya más de 15.000 (sobre un total de 91.000 islandeses). Con la llegada de la Revolución Industrial, la población tendió a concentrarse en la capital, pero no fue hasta la Segunda Guerra Mundial, y en especial tras la consecución de la independencia, en 1944, que se confirmó el despegue definitivo de Reykiavik.

Lo que empezó a situar a Islandia en el mapa del mundo fue el interés que Hitler mostró por la isla a partir sobre todo de 1936, cuando en los Juegos Olímpicos de Berlín se fijó en el porte y la belleza de los atletas islandeses: altos, esbeltos, rubios y con ojos azules. El dictador nazi se interesó por la historia de aquel país aislado y olvidado que, desde su punto de vista, había sabido guardar la pureza de la raza aria y envió a la isla a varios especialistas, entre ellos al hermano de Goering, para que redactaran informes sobre el lugar y sus gentes. En esa época se fundó en Reykiavik un Partido Nazi de Islandia que comulgaba con las ideas del dictador.

El escritor inglés W. H. Auden dejó escrito en *Cartas de Islandia* que en su viaje por el país, en 1936, vio a muchos nazis que expresaban su entusiasmo por Islandia. «Gran expectación en el lugar porque se espera esta noche la llegada del hermano de Goering y de un grupo de acompañantes», escribió. «Los nazis tienen la teoría de que Islandia es la cuna de la cultura germánica. Pues muy bien, si quieren una comunidad como ésta de las sagas, bienvenidos. Me encantan las sagas, pero qué sociedad tan podrida describen, una sociedad en la que sólo imperan las virtudes de los gánsteres.»

En septiembre de 1939, cuando Hitler invadió Polonia y desencadenó la Segunda Guerra Mundial, el servicio secreto británico recordó el acentuado interés que Alemania había mostrado por Islandia. Los británicos temían que las expediciones mandadas desde Berlín hubieran establecido contacto con gente del país y trazado mapas que indicaran dónde podrían atracar los barcos y aterrizar los aviones nazis en caso de una hipotética invasión. En abril de 1940, cuando los alemanes invadieron Dinamarca, país que por entonces ostentaba la soberanía de Islandia, los británicos temieron que la isla fuera el siguiente objetivo y decidieron adelantarse. Un mes después, en mayo de 1940, invadían Islandia. Las tropas norteamericanas tomaron el relevo un año después y en 1944, terminada ya la Segunda Guerra Mundial, Islandia rompió definitivamente sus lazos con Dinamarca y alcanzó la independencia.

Cerca del edificio del Parlamento, un discreto monumento dedicado a Jón Sigurdsson (1811-1879) rinde homenaje a los nacionalistas islandeses que veían en las sagas la principal referencia de su antiguo esplendor y que, ya en el siglo XIX, empezaron a soñar con una independencia que se resistiría en llegar.

Siguiendo el circuito del Reykiavik básico, y deteniéndose en los numerosos monumentos que recuerdan los momentos estelares de Islandia, Einar me llevó hasta Hallgrímskirkja, una iglesia con aspecto de acantilado rocoso situada en el punto más alto de la capital. Frente a ella se levanta un monumento dedicado a Leifur Eiriksson, el vikingo que llegó a América quinientos años antes que Colón. Leifur Eiriksson, conocido también como Leifur *el Afortunado*, era hijo del belicoso Erik *el Rojo*, que vivió en la costa oeste de Islandia en la segunda mitad del siglo X. Después de matar en una disputa a varios de sus vecinos, Erik *el Rojo* fue condenado a tres años de exilio y, junto con los suyos, se refugió en una isla del norte a la que puso por nombre Groenlandia.

En el *Libro de los Islandeses*, un documento del siglo XII que recoge la historia de la isla entre 870 y 1120, se da cuenta del descubrimiento de Groenlandia y de Vinlandia; es decir, de América: «El país llamado Groenlandia fue descubierto y colonizado desde Islandia. Un hombre llamado Erik *el Rojo*, natural de Breidafjördur, fue allí desde aquí y tomó posesión de la tierra que más tarde se llamaría Fiordo de Erik. Al país lo llamó Groenlandia, pensando que los hombres se animarían a ir allí si éste tenía un nombre atractivo. Allí se han encontrado restos de antiguos asentamientos, fragmentos de barcos y artefactos de piedra. De estos restos puede deducirse que la misma gente que vivió allí fue la que se instaló en Vinlandia. Erik empezó la colonización catorce o quince inviernos antes de que el cristianismo llegara a Islandia, según un hombre que siguió a Erik *el Rojo* en su viaje y que se lo contó a Thorkel Gellisson en Groenlandia».

Haciendo una rápida conversión, teniendo en cuenta que el cristianismo llegó a la isla en el año 1000, los catorce o quince inviernos transcurridos indican que Erik *el Rojo* se instaló en Groenlandia en 985. Su hijo, Leifur *el Afortunado*, descubrió las costas de Norteamérica, la Vinlandia vikinga, hacia el año 1000. Vale la pena destacar en el relato anterior la sabia visión de Erik *el Rojo*, que optó por poner un nombre idílico («Tierra Verde») a una isla fría e inhóspita; algo que no tuvo en cuenta el explorador vikingo Flóki Vilgerdarson cuando en el siglo XVIII, al ver los numerosos icebergs que flotaban en sus aguas, bautizó a Islandia como «Tierra del Hielo».

—La diferencia entre Leifur Eiriksson y Cristóbal Colón —comentó Einar— es que el primero era un fugitivo. Por eso mantuvo el secreto. Colón, en cambio, iba en nombre de un rey y se apresuró a tomar posesión de aquellas tierras y a comunicar la noticia a todo el mundo. Está visto que no hay nadie como los islandeses para guardar un secreto.

Los islandeses llamaron a las nuevas tierras Vinlandia (que significa «Tierra de Viñas»), debido a que confundieron unas plantas que crecían allí con vides. En aquellas costas que actualmente conocemos como Nueva Escocia, en Canadá, Leifur *el Afortunado* se instaló con sus gentes y puso nombre a lugares como Helluland (Baffin Island) o Markland (península de Labrador). Mientras estaban acampados en Vinlandia, consignan las crónicas que nació Snorri Thorfinnsson, el primer europeo nacido en América. Aunque Leifur *el Afortunado* pretendía quedarse en Vinlandia, acabó por regresar a Islandia tras una serie de enfrentamientos con los nativos. De todos modos, a los islandeses les gusta recordar, para reforzar su imagen de descubridores de América, que Cristóbal Colón visitó Islandia en 1477, a bordo de un barco británico. Es probable, dicen, que entonces oyera hablar por primera vez de la existencia del Nuevo Continente.

Dejando América de lado, vale la pena consignar que la vista desde lo alto del campanario de la Hallgrímskirkja de Reykiavik es de las que no defraudan. Desde allí se puede contemplar el paisaje como si uno estuviera ante un inmenso mapa en relieve: las calles ordenadas del centro, las casas con tejados de colores, el mar cerrado del puerto, la gran bahía, los barrios diseminados por las colinas, los parques, la mole del monte Esja... y, al fondo, al otro lado de la bahía, la silueta inconfundible del Snaefellsjökull, el volcán de *Viaje al centro de la Tierra*.

—Aquí abajo tienes la parte más habitable del país —señaló Einar, orgulloso de su ciudad—. Islandia tiene fama de ser un país muy frío, pero la corriente del golfo hace que esta zona sea la más cálida de la isla. Por eso casi todos vivimos en Reykiavik.

—¿Hace mucho frío en invierno? —pregunté. No lograba apartar de mí la idea de que estaba en la Tierra del Hielo.

—No mucho más que en verano —se encogió de hombros—. Se habla mucho del frío de Islandia pero, la verdad, no hay para tanto. La temperatura media en verano es de once grados, y en invierno de dos.

—Podría ser peor. ¿Y cuál es la mínima récord de la isla?

—Te asustarás si te lo digo —se echó a reír.

—Adelante.

—En 1918, en el centro de Islandia se alcanzaron los 37,9 bajo cero.

Me alcé el cuello de la chaqueta mientras notaba que me invadía una poderosa sensación de frío. ¿Cómo debía de ser vivir a casi 40 bajo cero? Mucho peor que vivir en una nevera; incluso que vivir en un congelador.

## 3

## El lío de los nombres

Gracias a la inestimable colaboración del mal tiempo —una constante en Islandia por culpa de los alocados vientos del norte, que no paran de revolverlo todo—, permanecí encerrado bastantes días en casa. Me pasaba horas y horas ante el ordenador, trabajando como un poseso, inmerso en mi maravilloso mundo *made in Ikea*. Allí, por fin, había encontrado el aislamiento que buscaba, lejos de la rutina y de las constantes interferencias de Barcelona; allí, por fin, se daban las condiciones ideales para afrontar el tramo final de mi novela. El aislamiento, todo hay que decirlo, no consistía en un vulgar encierro de fin de semana, sino un doble aislamiento a toda prueba, como el que proporcionan esas ventanas con cristales blindados: estaba en una isla perdida en el mapa, rodeado de agua y de nubes, y apenas si salía de casa y, casi, casi, de mí mismo.

Ni que decir tiene que estaba encantado de la vida, ya que aquello era exactamente lo que venía buscando, pero en los momentos de lucidez me daba cuenta de que me encontraba sumido en un complicado asunto que podríamos calificar de colisión de mundos distintos. La cuestión era la siguiente: la novela que estaba escribiendo trataba nada más y nada menos que del embrujo de Zanzíbar —una isla cálida, africana, con playas de arena fina, aguas color turquesa y bosques de palmeras que me había subyugado en un viaje anterior— y cuando echaba una ojeada por la ventana me encontraba con un paisaje nórdico y con un clima invernal que no tenían nada que ver con los encantos tropicales de Zanzíbar.

Era evidente que algo fallaba en el ambiente, aunque en el fondo ya me iba bien. Tras una serie de dudas metafísicas, me convencí de que el brutal contraste de escenario me ayudaba a afinar mi visión nostálgica de Zanzíbar y que redundaba, por tanto, en beneficio de mi novela. De vez en cuando, sin embargo, una llamada de Einar o una visita inesperada me obligaba a apearme de Zanzíbar —o a bajar de las nubes— y a volver a la radicalmente diferente realidad islandesa. Sucedió, por ejemplo, un día en que llamó a la puerta mi vecina Hólmfrídur.

Antes de explicar lo que sucedió con la vecina (ya adelanto que nada del otro mundo, para evitar que algún lector ávido de emociones se apreste a saltar al siguiente párrafo), vale la pena abrir un paréntesis sobre la originalidad de los nombres islandeses. En Islandia, en vez de pasarse el apellido de padres a hijos, como sucede en los restantes países europeos, construyen un nuevo apellido para cada generación. Así, los hijos de un señor llamado, por ejemplo, Ólafur Gunnarsson no se llaman Fulanito Gunnarsson, como nos parecería lógico, sino que construyen un apellido añadiendo el sufijo *son* (hijo) o *dóttir* (hija) al nombre del padre. El resultado será para los hombres Fulanito Olafsson (apellido que significa «hijo de Ólafur») y para las mujeres Fulanita Ólafdóttir (que significa «hija de Ólafur»). La verdad es que resulta un poco liante, ya que con este sistema se repiten muchos apellidos y no hay manera de saber quién es pariente de quién, pero los islandeses suelen decir que para ellos no representa ningún problema, ya que, al fin y al cabo, son pocos y se conocen todos. Sin embargo, no quiero ni imaginar el resultado que daría este original método en países de gran población, como por ejemplo España. Es cierto que los apellidos como Fernández y López tienen su origen en un sistema similar, pero ya hace siglos que se asentaron como apellidos estables que se transmiten de padres a hijos. Si todavía ahora siguiéramos llamando a la gente «hijo de José» o «hija de Juan» (o «hijo de Kevin», por ponernos modernos), me temo que se armaría un desbarajuste considerable.

Sabía, pues, de la existencia de este original sistema de apellidos, pero la primera vez que choqué con un conflicto derivado de los nombres islandeses fue cuando mi vecina Hólmfrídur llamó a mi puerta con la pretensión de buscar el nombre de un abogado en la guía telefónica. Cuando me dijo el nombre —pongamos que se llamaba Gunnar

Stefánsson—, yo mismo, solícito, me apresuré a buscarlo, pero ella se echó a reír.

—¿Estoy haciendo algo mal? —pregunté, mosqueado.

—Lo estás buscando por la S —me dijo.

—Claro. Es Stefánsson, ¿no?

—Sí —sonrió—, pero tienes que buscar por la G.

—¡¿Por la G?! —fruncí el ceño.

—G de Gunnar —me aclaró.

Fue entonces cuando fui consciente de la auténtica dimensión del lío de los nombres del país.

—¿Los ordenáis por el nombre y no por el apellido? —pregunté, asombrado.

—Aquí, en Islandia, lo importante es el nombre —me aclaró Hólmfrídur en plan didáctico—. El apellido, de hecho, sólo indica el nombre del padre.

—Me parece un poco complicado —me limité a observar—. Ordenar la guía telefónica por los nombres no sirve de mucho. Si lo hiciéramos en España habría miles y miles de Josés.

—Es así como funciona —sonrió Hólmfrídur—. Será raro, pero estamos acostumbrados —hizo una pausa y añadió como a regañadientes—. De todos modos, te diré que cuando fui a estudiar a Estados Unidos adopté el apellido de mi padre para evitar líos de visado.

—Lo ves —alegué—. Todo es más sencillo con este sistema.

—En otros países, quizás —aceptó—, pero no aquí. Ya era así cuando el primer colono se instaló en Reykiavik y sigue siendo así más de mil años después. Este sistema de apellidos nos hace sentir muy ligados a la historia y a las sagas, que como ya habrás visto son muy importantes para la identidad de Islandia.

—Pero estamos en el siglo XXI —murmuré. Me maravillaba cómo podían vivir tan pendientes del pasado, ajenos a los avances de la modernidad.

—Aquí se cuida mucho la tradición —se limitó a sonreír Hólmfrídur—. De hecho, es tan importante el tema de los nombres que cuando en 1972 acogimos a unos refugiados de Vietnam, se les aceptó con la condición de que, si querían la nacionalidad islandesa, tenían que adoptar nombres del país.

—¿Les cambiasteis el nombre? —pregunté, incrédulo.

—Es básico para nuestra identidad —dijo ella mientras localizaba el número del abogado y lo apuntaba en un papel—. Hemos sobrevivido muchos siglos así y ahora no queremos echarlo todo a perder. Lo de los vietnamitas fue divertido, ya que uno de ellos insistió en llamarse como el presidente del país. Puestos a elegir, se quedó con el nombre que le parecía más respetable.

—¿Todos los nacionalizados tienen que cambiar de nombre? —insistí.

—Casi todos. Hay algunas familias, descendientes de daneses, que conservan siempre el mismo apellido. Son como una especie de nobleza del país. Entre los extranjeros, hubo uno a quien se le liberó de la obligación de cambiar de nombre: el pianista y director de orquesta Vladimir Ashkenazy.

Tenía un nombre ya famoso cuando adoptó la nacionalidad islandesa y era un problema hacérselo cambiar.

Pensé en cómo debía de llamarse el padre de Ashkenazy. Pongamos que Iván. Ciertamente, sería complicado acostumbrarse a llamar al famoso director como Vladimir Ivansson.

Cuando se marchó Hólmfrídur fui incapaz de concentrarme de nuevo en Zanzíbar. El virus de Islandia me estaba afectando más de lo que esperaba. Fui a por mi manual de islandés e intenté someterme a un cursillo acelerado para tratar de penetrar en el intríngulis del país. El librillo prometía enseñarme a hablar la lengua de Islandia en diez días, pero tras varios minutos de dedicación supe que mentía descaradamente. Por lo visto en las primeras páginas, tuve la impresión de que ni en mil días aprendería.

El islandés es un lenguaje digamos que peculiar con una estructura arcaica. Pertenece a la rama de las lenguas nórdicas, como el danés, el noruego y el sueco, pero la diferencia estriba en que el islandés, al hablarse en un país tan aislado, se ha mantenido casi igual que la lengua de los tiempos antiguos. Ha variado tan poco que los islandeses del siglo XXI pueden leer sin dificultad las sagas, escritas en el siglo XIII, como si fuera su lengua de ahora mismo. Por poner un símil, es como si en algún lugar remoto del Mediterráneo hubiera una isla perdida en la que continuaran hablando un castellano como el del *Poema del Mio Cid*.

El islandés escrito tiene algunas semejanzas con el inglés, lo que hace que puedas comprender algo al leerlo, pero el acento es tan endiablado, lleno de inflexiones y sonidos guturales, que no cazas ni una. Para contribuir al desaliento, el alfabeto dispone de unas cuantas letras propias y de nada menos que catorce vocales. Por si esto fuera poco, las declinaciones contribuyen a complicarlo todavía más. Los nombres tienen género gramatical —masculino, femenino o neutro—, pero pueden ser también singular o plural en los cuatro casos (nominativo, acusativo, dativo y genitivo), con lo que arroja un total de ocho formas posibles para cada nombre (más ocho con artículo de sufijo). En fin, la locura. Los adjetivos aún van más allá, ya que deben concordar con el número y con el caso del nombre que modifican y, además, pueden ser en forma débil o fuerte, lo que significa que cada adjetivo tiene un total de 24 formas potenciales. No está mal, pero si llegamos al artículo alcanzamos el más difícil todavía, ya que las formas potenciales se elevan a 48. Sólo por comparar, vale la pena recordar lo sencillo que resulta el invariable artículo *the* en inglés.

Preocupados por la conservación de su cultura y de su lengua, en 1918 los islandeses decidieron crear una poderosa comisión encargada de velar por los neologismos. El objetivo era y es evitar la contaminación de las lenguas extranjeras, sobre todo el inglés. Sigue, como muestra, una lista de las palabras adoptadas por este honorable comité que combina viejas palabras para designar cosas nuevas:

Teléfono — *Sími* (hilo en islandés antiguo)
Pasaporte — *Vegabréf* (carta de los caminos)
Eco — *Bergmál* (discurso de la roca)
Herejía — *Trúvilla* (error de la fe)
Margarina — *Smjörlíki* (similar a la mantequilla)
Vídeo — *Myndband* (cinta de imágenes)
Ordenador — *Tölva* (mezcla de «tala», número, y «völva», pitonisa)
Buscapersonas — *Fridthjófur* (ladrón de la paz)
Trópicos — *Hitabelti* (cinturón de calor)
Rascacielos — *Skýjakljúfur* (rompe nubes)
Petróleo — *Steinolía* (aceite de las piedras)
Pesimismo — *Svartsýni* (visión negra)
Policía — *Lögreglan* (orden legal)

Como puede observarse, en algunas de estas palabras los islandeses se han puesto poéticos. Mi preferida es «ladrón de la paz» aplicada al impertinente «busca», aunque lo de mezclar «pitonisa» y «números» para llegar a «ordenador» tampoco está nada mal. En el fondo, algunas de estas nuevas palabras conectan con el viejo espíritu de las sagas y de los escritos antiguos. En la poesía de los escaldas, por ejemplo, datada hacia el año 1000, ya calificaban al mar de «camino de la ballena», a la lanza de «serpiente de la guerra» y a la sangre de «rocío de las armas». Estas figuras reciben el nombre de *kenningar* y fascinaban hasta tal punto a Jorge Luis Borges que les dedicó varias páginas en su estudio sobre la literatura escandinava, escrito a medias con María Esther Vázquez. Allí nos encontramos listas de imágenes como «asamblea de espadas» o «fiesta de águilas» referidas a la batalla; «cisne sangriento» referida al buitre y «hielo de la pelea» referida a la espada. A la lengua le llamaban «espada de la boca», al corazón «manzana del pecho», a la sangre «sudor de la guerra» y a los ojos «piedras de la cara». Mi preferido, por lo que tiene de humor negro, es «delicia de los cuervos», aplicado a los guerreros.

Me hallaba sumido en el desconcierto, tras mi fallido intento de aproximación al idioma islandés, cuando llamó Einar para invitarme a tomar una cerveza en su casa. A la cerveza, por cierto, le llamaban los escaldas «ola del cuerno» o «marea de la copa».

La casa de Einar, situada en pleno centro, en una travesía de Laugavegur, era de las antiguas, con fachada de chapa ondulada pintada de rojo y grandes ventanales. El suelo forrado de madera y los cuadros que colgaban de las paredes le otorgaba una agradable calidez.

La compañera de Einar, Margrét, me recibió con una sonrisa de oreja a oreja. Su belleza era la típica de los países nórdicos: delgada, rubia, alta y con una piel tan blanca que parecía transparente. Sabía, porque me lo había contado Einar, que tocaba la flauta travesera en una orquesta y, para confirmarlo, en un rincón había un facistol con unas cuantas partituras desordenadas.

Einar me ofreció una cerveza y poco después apareció con su hija en brazos, un bebé de pocos días de edad que apenas si abría los ojos.

—¡Aquí tienes a Arna Björk Einarsdóttir! —proclamó con orgullo—. Al final le hemos dado un nombre. ¿Qué te parece? Arna es el femenino de «águila» y Björk significa «abedul». Son dos nombres cien por cien islandeses.

Eran sin duda nombres ligados a la naturaleza, como lo eran los antiguos nombres vikingos. Saludé encantado a «Águila Abedul», un hermoso bebé que dormía en brazos de su padre.

También para los nombres hay normas en Islandia. Los padres no pueden poner cualquier nombre a su hijo o hija, sino que tienen que ceñirse a la lista de nombres tradicionales. Dentro de este espectro, los nombres más frecuentes para hombres son Einar («guerrero solitario»), Gunnar («guerrero de la batalla»), Gudmundur («mano de Dios») o Karl («hombre»). Para mujeres, son corrientes Gudrún («magia de los dioses), Helga («sagrada»), Hólmfrídur («valquiria del islote») o Ingibjörg («salvadora»).

—También puedes ponerle a tus hijos algunos nombres cristianos —me aclaró Margrét—, como María, Anna, Jón o Kristín. Hace tiempo que están integrados en nuestra cultura.

—¿Y puedes ponerle Elvis o Kevin si te apetece?

Einar sacudió la cabeza...

—Eso déjalo para los americanos... —me aconsejó con una sonrisa.

Brindamos solemnemente por su hija —«la futura Miss Islandia»— y me quedé a cenar con ellos. Comimos una excelente sopa de pescado, nos bebimos el vino que yo había comprado en el aeropuerto y, a lo largo de la comida, brindamos unas veinte veces por Arna Björk, aquel bebé mezcla de «águila» y de «abedul» que dormía como un ángel, ajena a la belleza del sol de medianoche que inundaba el comedor de una sesgada luz dorada.

# 4

## Fantasmas y supersticiones

El clima cambia tan a menudo en Reykiavik que ser hombre del tiempo en Islandia debe de ser un trabajo de lo más estresante. Nada que ver con la aburrida predicción meteorológica de los países mediterráneos: esos eternos anticiclones, esos treinta grados que aguantan días ydías en verano y esos cielos despejados que se mantienen durante semanas para regocijo de turistas y desespero de agricultores.

Hay que advertir que la información del tiempo que dan por televisión en Islandia es bastante curiosa, por no decir desconcertante. Bueno, de hecho, la misma televisión islandesa es bastante curiosa. Con decir que hasta los años setenta dejaban de emitir un día a la semana —el jueves— para poder librar. En cuanto al tiempo, los dos canales públicos suelen ofrecer pronósticos contradictorios. Si uno anuncia lluvias intensas para mañana, el otro apostará muy probablemente por un día soleado. Supongo que lo hacen para aumentar las posibilidades de acierto, o para combatir la muy extendida tendencia al pesimismo, pero la verdad es que da una imagen poco seria del país. Los islandeses con quien lo comenté, sin embargo, no le daban importancia.

—Aquí nos hemos acostumbrado a vivir ignorando el tiempo —me confesó mi vecino Gudmundur—. Antes de salir de casa, echamos un vistazo por la ventana. Si llueve nos ponemos la gabardina y si hace sol la llevamos colgada del brazo. No sirve de nada que te digan qué tiempo hará mañana, ya que todos sabemos que puede cambiar en pocos minutos.

—¿Y si planeas ir de excursión?

Gudmundur se rió.

—Si tienes previsto hacer una excursión, hazla ya —me aconsejó—. Si esperas a que salga el sol puede crecerte barba. Las nubes, aquí, nunca se están quietas.

Es cierto que las nubes islandesas parecen ir más deprisa que las mediterráneas, como si llevaran el turbo incorporado. Desfilan por el cielo a una velocidad de vértigo y te ofrecen a menudo, sobre todo al atardecer, unos celajes bellísimos, supongo que para compensar las lluvias del día.

Desde la geología y la historia hasta el clima, da la impresión de que todo es acelerado en Islandia, como si hubiera alguna urgencia por recuperar un hipotético tiempo perdido. Al fin y al cabo, geológicamente hablando, Islandia es el país más joven de Europa. En el ámbito de la historia sucede más o menos lo mismo. Cuentan los islandeses de más edad que, desde que el país alcanzó la independencia, en 1944, ha experimentado unos cambios tan impresionantes que no dan crédito a sus ojos. De un país de granjeros y pescadores se ha pasado en cincuenta años a un país moderno, atento a las últimas tendencias.

Estaba contemplando uno de esos cielos nórdicos sin parangón posible —unas nubes deshilachadas por el viento y unos juegos de luz impresionantes— cuando me llamó Einar para proponerme ir a dar una vuelta por la ciudad. Acepté, claro. A aquellas alturas de mi viaje, ya había aprendido que mi novela sobre Zanzíbar podía esperar. Einar dijo que pasaría a buscarme al cabo de quince minutos, pero llamó a la puerta una hora después. La puntualidad, desde luego, no es el punto fuerte de los islandeses, probablemente porque saben que son un país pequeño y que tarde o temprano se cruzarán por la calle con la persona a quien desean ver.

—Lo llevamos en los genes —me aclaró Einar con una sonrisa cuando abordé el tema—. Los vikingos no tenían relojes, ¿verdad?

Pensé que, ciertamente, cuesta imaginarse a un vikingo consultando el reloj antes de entrar en batalla.

—La puntualidad no va con nuestro espíritu vikingo —zanjó mi amigo.

Einar me paseó por la ciudad en su coche. Por lo que él llamaba el «otro Reykiavik», lejos de los tópicos para turistas. La primera parada fue en las afueras, ante un río de aguas bravas que se abría paso entre prados llenos de verde, con unas pocas casas como fondo.

—Aquí lo tienes —me lo mostró con un orgullo evidente—. Un río salmonero que pasa por la ciudad. ¿Qué otra capital puede igualar esta apuesta?

Me rendí ante la realidad. No me imaginaba a nadie de Barcelona o de Madrid yendo a pescar salmones al Llobregat o al Manzanares. Bastante trabajo teníamos en identificarlos como ríos.

Vista desde el coche, Reykiavik ofrece una visión muy distinta a la que se tiene recorriéndola a pie. Proliferan los barrios de casas bajas con grandes ventanales sin cortinas, a través de los cuales puede contemplarse la vida en directo (como si estuvieras ante un gran televisor). Hay también muchas zonas verdes y un tráfico tranquilo. En el fondo, la capital de Islandia tiene un cierto aire de ciudad norteamericana, con amplias zonas residenciales, áreas comerciales claramente delimitadas cada pocos kilómetros y un aire limpio. Todo muy agradable, sin esa tensión contenida que hay en las ciudades de Estados Unidos. La mayoría de las casas son de hormigón, construidas en fecha reciente. De vez en cuando, sin embargo, aparece una vieja casa de madera que para los islandeses, incansables narradores orales, siempre tiene una historia detrás.

Einar detuvo su coche ante una antigua casa de aspecto señorial, situada cerca del centro, junto a la bahía, y me ilustró sobre uno de los grandes episodios de la historia reciente del país.

—Ronald Reagan y Mijail Gorbachov se reunieron en esta casa en octubre de 1986 —me explicó—. Fue todo un detalle por su parte que dieran el primer paso para poner fin a la guerra fría en un sitio tan frío como éste... Supongo que se le ocurrió a algún guionista ocurrente.

La casa, de madera, se elevaba sobre un suave promontorio junto al mar y estaba rodeada de verde. Se llamaba Höfdi y tenía un apacible aspecto de «casa de la pradera», como si hubiera escapado de un telefilme del Oeste. Había sido construida en 1909 por el cónsul francés Jacques Brillouin, que se la hizo traer prefabricada desde Noruega.

—Corre el rumor de que está habitada por un fantasma —me dijo Einar alzando los ojos significativamente.

—¿Un fantasma?

—Hubo enormes medidas de seguridad durante la cumbre —continuó Einar, como si lo del fantasma no mereciera ni una explicación—. Llegaron unos doscientos agentes norteamericanos y otros tantos soviéticos para colaborar con la policía islandesa. Esto parecía un campo de batalla durante la cumbre. Había policías por todas partes. Pusieron incluso tiradores de elite apostados en los tejados y un guardacostas vigilaba la fachada que da al mar... Sí, hubo muchas medidas de seguridad, pero se olvidaron de avisar a los cazafantasmas...

Einar soltó una carcajada, pero yo me quedé tan intrigado que le pregunté qué tipo de fantasma corría por la casa. La historia, que arrancaba de finales del siglo XIX, merecía la pena. Entre 1892 y 1897, el poeta Einar Benediktsson, uno de los más famosos de Islandia, se ocupó como abogado de un caso de incesto en un pueblecito llamado Svalbardi. Los implicados, hermanos por parte de padre, trabajaban para un pastor protestante llamado Ólafur Petersen, amigo de Benediktsson. En el pueblo circularon rumores de que la pareja había tenido un hijo, se formularon acusaciones y se inició un proceso para aclararlo. Durante el mismo, el muchacho acabó admitiendo ante Benediktsson que había nacido un niño. Ella, sin embargo, se negó a declarar. Se llamaba Sólborg Jónsdóttir y según dicen era una mujer bellísima. Cuando se enteró de que la obligaban a entregar a su hijo, solicitó unos minutos de descanso y se retiró a una habitación contigua. Allí, sin que nadie pudiera evitarlo, se suicidó con una dosis de arsénico del que utilizaban en las granjas para matar a los zorros.

—Su muerte llegó a obsesionar tanto a Einar Benediktsson que durante muchos años tenía pesadillas y alucinaciones en las que se le aparecía Sólborg —me contó Einar—. Hay quien dice que fue ella quien le inspiró algunos de sus mejores poemas. La cuestión es que cuando en 1914 el poeta compró esta casa —indicó la silueta de Höfdi a través de la ventanilla del coche—, se empezaron a oír misteriosos ruidos en el sótano y la gente no tardó en murmurar que el fantasma de la joven Sólborg perseguía a Benediktsson.

Siguió un largo silencio.

—Aquí, en Islandia, hay bastante gente supersticiosa —reflexionó Einar, pasando de la anécdota a la categoría.

—¿A qué te refieres?

—A que creen en los espíritus y cosas por el estilo —removió el aire con la mano, con un gesto impreciso—. No es extraño, ya que los primeros habitantes del país creían que había espíritus que protegían esta tierra... De hecho, en los cuentos tradicionales islandeses abundan las historias de fantasmas y en las sagas hay espíritus que persiguen a la gente durante años. También tenemos elfos, trolls, pitonisas, brujos... —Einar se permitió una sonrisa que indicaba que él no participaba de aquellas creencias—. Cuando se va la luz, por ejemplo, siempre hay alguien que dice que es una señal de algún difunto, y hay mucha gente que consulta con videntes.

—¿Me estás tomando el pelo?

—En absoluto —dijo muy serio—. En los años setenta, una vidente tuvo que intervenir en Höfdi para alejar a los fantasmas de la casa. Se llamaba Ása Skarphédinsdóttir. Dicen que ella habló con el fantasma y le convenció para que dejara de hacer diabluras. Desde entonces, la casa está en calma... —sonrió, escéptico—. Ahora pertenece al Ayuntamiento de Reykiavik y la utilizan para albergar a huéspedes ilustres. No ha pasado nada extraño en los últimos años. Bueno —añadió tras una pausa estudiada—, a raíz de la reunión Reagan-Gorbachov la prensa americana habló del «espíritu de Reykiavik», pero creo que se referían a algo muy diferente al fantasma de Sólborg.

Cuando volví a fijarme en la casa no pude evitar un estremecimiento. Lo que al principio me había parecido una tranquila casa de campo trasplantada al centro de Reykiavik, ahora se revelaba como el centro de una historia negra y triste como un campo de lava.

## 5

## Marcha nocturna bajo el sol

Reykiavik, de noche, se transforma en otra ciudad, especialmente durante el fin de semana. La apacible calma de pueblo donde nunca pasa nada se ve alterada de repente por una marcha inimaginable, una animación constante en las calles del centro, bares llenos a rebosar y una sorprendente procesión rodada a lo largo de la calle Laugavegur.

—¿Por qué hay tantos coches a estas horas? —le pregunté a Einar.

—Es el juego de ver y dejarse ver —me contestó con una sonrisa.

Lo comprendí de inmediato. Los coches iban llenos de jóvenes con ganas de armarla, con las ventanillas bajadas, a marcha lenta y la música a tope. Venía a ser como una versión moderna de los viejos paseos por las alamedas de los pueblos, cuando la gente paseaba arriba y abajo a la espera de que sucediera algo que hiciera saltar en pedazos la monotonía.

—Lo primero que haces en Reykiavik cuando puedes conducir —añadió Einar— es venir a lucirte por Laugavegur. Si buscas compañía también es el mejor escaparate.

—¿Tú también has pasado por esto?

—¡Claro! —se rió—. Aún recuerdo mi primera vez, hace años. Acababa de sacarme el permiso de conducir y me moría de ganas de pasear por Laugavegur con el coche de mi padre, un descapotable americano. Pedí a varias chicas del barrio que me acompañaran, pero ninguna quiso. El único que aceptó fue un viejo vecino, pero con la condición de que también viniera su perro. Hice una entrada espectacular en Laugavegur. Todos me señalaban y decían: «Mirad quién va ahí: Einar con un viejo y con un perro». No puede decirse que fuera un paseo triunfal, pero al menos no pasó desapercibido...

¿Cuándo empieza la marcha en Reykiavik? Iba a escribir que al caer la noche, pero sería un error, ya que en verano la noche nunca cae en Islandia. Es uno de los encantos del país: ese sol de medianoche que se clava en la parte baja del horizonte y esparce unos rayos cálidos que alargan las sombras hasta lo indecible y tiñen la ciudad de tonos dorados.

—Éste es nuestro secreto —me comentó Einar con sonrisa de sátiro—. Como el sol no se pone nunca, no hay manera de saber cuándo es hora de volver a casa. Por lo tanto, la marcha sigue hasta bien entrada la madrugada.

—¿Y qué pasa en invierno? —le planteé.

—Pues, lo mismo, pero al revés —se echó a reír, nada dispuesto a ceder—. Como siempre está oscuro, tampoco hay manera de saber qué hora es.

En mi primera noche de marcha islandesa empezamos tomando una cerveza en un bar de Laugavegur, el Kaffi List («Café Arte»). Tenía toques de diseño a la última, con la fachada recubierta de cristal, una barra oval, las butacas tapizadas de piel blanca y un ambiente agradable. Sonaba música cubana y me llamó la atención que en la pared había frases en castellano como: «Gallo viejo, gallina joven», «No se hace una tortilla sin quebrar huevos» o «Amor, amor, malo el primero y el último, peor».

—El propietario es español —me aclaró Einar—. Tenía un bar más pequeño una calle más abajo y hace un par de años inauguró el Kaffi List. Ahora es uno de los bares de moda de Reykiavik.

Me instalé con Einar, su amigo Gudmundur y unas cuantas cervezas en una de las mesas del café y eché una ojeada alrededor: el bar estaba lleno de jóvenes vestidos a la última, con mujeres muy rubias, muy altas y muy bellas.

—*Skál fyrir Valhöll!* —alzó su vaso Einar.

Brindamos y Einar me aclaró después el sentido de sus palabras: «Salud antes del Valhalla». O sea, bebamos mientras estemos vivos. Lo de *skál*, al parecer, viene de *skull* («cráneo» en inglés), ya que los vikingos tenían la civilizada costumbre de beber utilizando los cráneos de sus enemigos como copa.

—Ahora resulta fácil beber lo que quieras —me apuntó Gudmundur—, pero, aunque te parezca mentira, la cerveza estuvo prohibida en Islandia hasta 1989. El Gobierno mantenía la prohibición porque temía que nos volviéramos todos alcohólicos, pero acabó autorizando su venta el 1 de marzo de 1989. Desde entonces, cada primero de marzo celebramos el Día de la Cerveza con gran entusiasmo.

—¿Y qué bebíais antes?

—Mucha gente pedía una cerveza sin alcohol y le añadía un chupito de Brennivín, el aguardiente local, también llamado Muerte Negra. Era ridículo.

De hecho, antes del jubiloso Día de la Cerveza, los islandeses tenían motivos para estar eternamente agradecidos a los españoles. Todo se remonta al año 1917, cuando el Gobierno de Islandia decretó la ley seca en vista de la desmedida afición al alcohol de un amplio sector de la población. Las presiones de España, sin embargo, provocaron la abolición de la ley en 1921. En aquel tiempo, España era el primer comprador de pescado de Islandia y amenazó con anular las importaciones si se mantenía la prohibición de importar jerez español. Al final, Islandia autorizó la importación de jerez y de otros vinos españoles.

No sé cómo se las arreglarían en el pasado, pero es evidente que la cerveza es ahora mismo la bebida preferida de los islandeses. Ya en las sagas aparecen bebedores ilustres, como Njal o Egil, y en las omnipresentes estadísticas un 32% de los islandeses admite haber tenido problemas con el alcohol, aunque hay también un 16% de abstemios. Los islandeses no beben siempre, pero cuando se ponen —sobre todo durante el fin de semana—, lo hacen en plan compulsivo: piden dos rondas seguidas de cerveza o encargan la siguiente cuando la primera aún va por la mitad. El lema parece ser: bebe todo lo que puedas y cuanto antes mejor. Es como si temieran que en cualquier momento pudiera volver la temida ley seca. En cualquier caso, cuando empiezan a beber, la lengua se les suelta, pierden la timidez y se animan a contar historias de Islandia, su tema favorito.

—La gente piensa que vivimos en un país inhabitable y no es así —contó Einar—. Yo viví un par de años en Copenhague y recuerdo que una chica, al saber que yo era islandés, me dijo que debía de ser terrible vivir en Islandia. Yo, con una mueca a lo John Wayne, le dije: «Hay que ser fuerte para sobrevivir. El pasado invierno tuve que luchar con un par de osos polares, pero sólo me queda el recuerdo de unas cuantas cicatrices».

Soltó una carcajada y bebió un sorbo de cerveza.

—Es que la gente piensa que Islandia es como el Polo Norte: todo cubierto de nieve y de hielo —terció Gudmundur—. Nos toman por esquimales.

—De todos modos, es cierto que de vez en cuando hay osos polares en Islandia —apuntó Einar para mi sorpresa—. En invierno llegan a la costa norte montados en icebergs procedentes de Groenlandia y provocan algunos desastres, pero normalmente éste es un país tranquilo. Recuerdo una vez que...

A medida que les oía hablar confirmaba dos cosas: que Islandia es un país único, a medio camino entre Europa y América, con una cierta sensación de tierra de frontera, y que a los islandeses les encanta explicar historias. Suelen contarlas tomándose su tiempo, entreteniéndose en los detalles, como debían de hacerlo sus antepasados cuando recitaban las sagas en grupos que se reunían alrededor del fuego durante las largas y frías noches de invierno.

El dueño del bar, Agustín, apareció minutos después. Me contó que era de Benidorm y que llevaba dieciséis años viviendo en Islandia.

—Conocí a una islandesa y me vine para acá —me explicó, como si la suya fuera una historia vulgar—. Es un país frío, muy distinto de España, pero te acostumbras. Yo no me quejo: no me va mal. Aquí se vive bien y en general son buena gente.

Hizo una pausa para servir unas cervezas y continuó:

—La verdad es que no vienen muchos españoles por aquí. Italianos sí, pero españoles... Ayer, sin embargo, vino un grupo de cinco. Venían a pescar salmones.

—¿Salmones?

—Hay muchos en Islandia, pero es un deporte caro. Tienes que pagar una licencia muy alta.

—¿Y el resto de turistas qué hace?

—Pues depende... En general vienen a ver volcanes y glaciares. La ciudad les interesa poco. Aquí lo que más se lleva es el turismo ecológico.

Tomamos otra cerveza, Einar me presentó a un par de escritores amigos suyos y, tras intercambiar unas pocas palabras, propuso cambiar de aires. La siguiente parada fue en el Kaffibarinn («Café Bar»), instalado en una casa antigua recubierta de chapa pintada de rojo. Por fuera parecía una cabaña escapada de Alaska; por dentro, también. El suelo y las paredes eran de madera basta y en la barra había una joven de aspecto desmañado escribiendo en un Mac portátil.

—Como observarás, en Reykiavik no sólo hay muchos escritores —me explicó Einar—, sino que también hay gente a la que le gusta ir de escritor en plan notas.

La clientela del Kaffibarinn era distinta de la del Kaffi List. Eran más jóvenes, vestían de un modo más desenfadado y bebían más cerveza.

—Es pronto todavía —me explicó un camarero desgarbado; eran las once—. Esto se anima a partir de medianoche.

—¿Y cómo se anima?

—Oh, por entonces la gente ya ha bebido mucho y hay chicas que se ponen a bailar encima de las mesas. Vale la pena verlo.

Prometí regresar más tarde, pero de momento nos tomamos una cerveza en el piso superior. A través de la ventana, se veía una casa pintada de amarillo con un restaurante chino en la planta baja.

—Para que veas lo pequeño que es Reykiavik —me contó Gudmundur—, a esta esquina la llamamos Chinatown. Basta con que haya un restaurante chino para que lo consideremos un barrio chino.

Un poco más allá se veía un restaurante mexicano —¿sería aquél el barrio hispano?—, pero lo que a mí me fascinaba era aquella pálida luz de medianoche, aquel sol cálido que iluminaba la ciudad como si fuera un inmenso decorado a punto para el rodaje de una superproducción de Hollywood.

El Kaffibarinn había sido el local de moda por excelencia de los últimos años. Era propiedad de dos islandeses y de un británico y, según decían, había gente de Londres o de Nueva York que subía al avión sólo para tomarse unas copas en su destartalada barra.

—Aquí transcurre buena parte de *101 Reykiavik*, una novela de culto para los jóvenes islandeses —me apuntó Einar.

—¿Está bien la novela?

—Ya te la prestaré. La tengo en inglés. Va de un joven de Reykiavik que se pasa el día bebiendo y que no sabe qué hacer con su vida. Es muy de ahora mismo y el título hace referencia a este distrito de Reykiavik, el 101, el barrio con mayor concentración de bares de toda la ciudad.

—¿Quién es su autor?

—Hallgrímur Helgason. Precisamente estaba en el otro bar hace tan sólo unos minutos. Pinta y escribe. Es un tipo singular que ha triunfado con esta novela. Han hecho una película a partir del libro, que por cierto ha dirigido Baltasar Kormákur, uno de los propietarios del Kaffibarinn.

La famosa y mareante endogamia islandesa volvía a hacer aparición. Aquí no sólo se conocían todos, sino que se encontraban cada día por la calle. Es lo que pasa en un país pequeño. Recordé la anécdota que explica W. H. Auden en *Cartas de Islandia*: a la semana de estar en el país, el cartero ya le paraba en la calle para entregarle su correo.

—¿Por qué hay tantos escritores aquí? —le pregunté a Einar, intrigado. En los pocos días que llevaba en la ciudad ya me había presentado a más de diez.

—¿Qué quieres que hagamos en invierno? Todo está oscuro y en la calle hace frío. Lo mejor que podemos hacer es quedarnos en casa y escribir. O esto o atiborrarnos de antidepresivos.

La siguiente parada fue en el Rex, un elegante local diseñado por Terence Conran que parecía escapado del mejor barrio de Londres. Era fascinante comprobar cómo cada bar tenía un ambiente distinto. En el Kaffi List dominaban los treintañeros en plan profesión liberal; el Kaffibarinn era para jóvenes desmadrados ávidos de nuevas sensaciones y el Rex, en cambio, era para arquitectos o diseñadores ya instalados en la cuarentena. Eché un repaso a la selecta clientela: vestían mejor y hablaban en voz baja y casi sin gesticular, como suelen hacerlo los ricos.

—Parece mentira —reflexioné—. Sois pocos, pero en lo que a bares se refiere estáis perfectamente divididos en estratos sociales.

—Y no lo has visto todo —sonrió Einar—. En el Café París encontrarás a la gente de toda la vida, en el Astro a los jóvenes modernos y en el Café Reykiavik a las señoras de edad en busca de una aventura. Lo llamamos Café Reciclaje.

No duramos mucho en el Rex. No era nuestro ambiente. La siguiente parada fue en el Kaffi Brennslan, un bar agradable situado en la plaza del Parlamento, con aspecto de *bistro* francés y con la pared de detrás de la barra forrada de cervezas de distintas marcas, como si fuera un mural posmoderno diseñado por un artista alcohólico. Cuando pedí una cerveza, el camarero soltó una risita seca, como si hubiera contado un chiste malo.

—¿No puedes ser más concreto? —me dijo—. Tenemos más de cien marcas de cerveza de todo el mundo.

Me pasó una lista abrumadora. Había cervezas de Holanda, Dinamarca, Alemania, España, México, Italia, Japón, Canadá, Australia, Singapur... Aquello era el paraíso del bebedor de cerveza; allí podía darse la vuelta al mundo sin moverse de la mesa, siempre que el hígado aguantara. En el fondo, era toda una venganza contra los años no tan lejanos de la prohibición. Junto al precio (siempre superior a los seis euros), se especificaba la graduación. Supongo que por si alguien tenía prisa en cogerla.

Estudié atentamente la lista. La cerveza con más graduación era una belga, la Chimay Reserve (9%), seguida de una islandesa, la Viking Sterkur (7,6%). Considerando que ya llevaba unas cuantas jarras en el cuerpo, pedí una Thule islandesa de graduación más bien discreta (5%). Seguro que no quedé como un feroz guerrero vikingo, pero mi hígado debió de sonreír agradecido.

Iba yo, pues, por mi «Última Thule» cuando un norteamericano que nos llevaba unas cuantas cervezas de ventaja se acercó a nuestra mesa y, en tono gangoso, nos explicó que estaba celebrando la despedida de soltero de un amigo de Nueva York.

—¿Se casa con una islandesa? —le pregunté.

Negó con la cabeza.

—¿Acaso vive en Reykiavik? —insistí, buscando una razón por la que la fiesta se celebrara en Islandia.

Volvió a menear la cabeza.

—Pues no lo entiendo —me rendí—. ¿Por qué lo celebráis aquí?

El americano me miró con una sonrisa babosa y farfulló:

—Estamos en Reykiavik por dos razones. Porque aquí es el mejor sitio para encontrarnos con nuestros amigos de Londres, ya que Islandia está a cuatro horas de avión de Nueva York y a cuatro horas de Londres —sonrió—. Es el lugar ideal, una ciudad neutral perdida en medio del océano.

Hizo una pausa para beber otro sorbo de cerveza. Cuando me volvió a mirar, tenía la mirada ida, como si no supiera ni dónde estaba ni quién era yo.

—¿Y la segunda razón? —le recordé.

—¡Ah, sí! —se situó—. Pues porque en Reykiavik hay una marcha increíble: bares abiertos hasta la madrugada, cerveza, chicas hermosas, sol de medianoche... ¿Se te ocurre un sitio mejor?

Sus amigos, un ruidoso grupo que tenía su cuartel general en la barra, le reclamaron y él se alejó con pasos vacilantes. La juerga continuaba.

—Vienen muchos americanos por aquí —me informó Einar—, sobre todo el fin de semana. Se ha puesto de moda. Para ellos, Reykiavik es una ciudad *cool*.

Siguió una explicación en la que se mezclaron, junto con una serie de cuestiones de política y de sociedad, los desvaríos alcohólicos típicos de la medianoche. Según pude entender, lo que trataban de explicarme Einar y Gudmundur —a menudo los dos a la vez— era que los norteamericanos habían descubierto Reykiavik como mínimo en cuatro ocasiones: la primera en los años cuarenta, cuando la Segunda Guerra Mundial puso a Islandia en el mapa como lugar clave para interceptar submarinos alemanes y como base de suministros para la flota aliada. El segundo descubrimiento fue cuando la célebre partida de ajedrez entre el norteamericano Bobby Fisher y el ruso Boris Spassky, con el título mundial en juego, en 1972; el tercero, cuando la cumbre Reagan-Gorbachov, en 1986; y el cuarto, como ciudad de moda en la década de 1990, gracias en parte a la fama internacional de la cantante Björk.

—Que quede claro, sin embargo —insistió Gudmundur—, que a pesar de estar en la OTAN y de tener una base americana, somos un país pacífico, sin ejército.

—¿Y qué me dices de las guerras del bacalao? —terció Einar.

—Fueron «guerras pacíficas», sin ningún muerto.

—Ello no impide que Gran Bretaña sea el único país con el que hemos librado unas cuantas guerras y ahora, para vergüenza nuestra, el presidente se empeña en tener una novia inglesa.

Einar me puso al corriente de la situación: el presidente de Islandia, Ólafur Ragnar Grímsson, un viudo de 59 años de edad, había sido visto en los últimos tiempos en compañía de una diseñadora de joyas inglesa.

—Hay quien lo considera una ofensa nacional —añadió, preocupado—. No hay que olvidar que tuvimos una guerra con los ingleses... Somos muchos los que echamos de menos el buen hacer de Vigdís Finnbogadóttir, la anterior presidenta.

Cuando pensaba que iba a originarse una discusión política, la sola mención de la que fue presidenta de Islandia entre 1980 y 1996 provocó un alud de elogios unánimes. Era evidente que Vigdís Finnbogadóttir, la primera jefa de estado del mundo elegida por sufragio universal, se había ganado el respeto de todos.

—Ya antes de ser presidenta, como directora del Teatro de Reykiavik, hizo una gran labor —me explicó Einar, muy conectado con el mundillo teatral—. Es una mujer muy preparada que supo ganarse a la gente.

—En su último mandato obtuvo un 92% de los votos —apuntó Gudmundur.

—En el mundo se sorprendían de que Islandia tuviera una mujer como presidente, pero aquí estamos acostumbrados —remató Einar—. Al fin y al cabo, éste es un país de pescadores y las mujeres eran las que llevaban la casa mientras ellos se hacían a la mar.

Minutos después, el panorama cambió radicalmente. La política y la historia se apartaron y una chica rubia muy joven se acercó a la mesa con una sonrisa angelical y me preguntó si era nuevo en la ciudad. Le dije que sí.

—Podríamos ir a bailar después —me propuso.

—¿Por qué no? —respondí mientras me preguntaba «¿por qué sí?».

—Avísame cuando salgas del bar —dijo ella con otra sonrisa—. Estoy en aquella mesa.

Se alejó hacia una mesa arrinconada en la que la esperaban otras dos bellezas vikingas que nos dedicaron una sonrisa desde la distancia.

—Aquí las mujeres son muy liberadas —me aclaró Gudmundur, por si hacía alguna falta—. Si les gusta alguien, atacan, y los mediterráneos les gustan de manera especial.

Estaba intentando situarme en aquel bar que parecía que empezaba a moverse como una barca en aguas procelosas cuando Einar me preguntó qué hora era.

—Las doce menos diez —dije tras consultar el reloj.

—Es pronto todavía —meneó la cabeza—. Si te esperas a la una o a las dos, entonces las ofertas proliferan y tienes más donde elegir.

La noche siguió avanzando, siempre bajo la cálida luz del sol de medianoche. Me olvidé de la chica que me había abordado en el Brennslan y visitamos el Astro, el Kaffi Thomsen, el Skuggabarinn y otros locales cuyo nombre no consigo recordar. Nunca hubiera podido imaginar que había tantos bares en Reykiavik... De madrugada, regresamos al Kaffibarinn; estaba mucho más lleno, pero, a pesar de las promesas del camarero, no había chicas bailando encima de las mesas. Escuchamos música de los fenómenos islandeses Björk y

Sigur Rós y, a pesar de mis propósitos de no beber demasiado, fueron cayendo más y más cervezas.

No recuerdo mucho más de aquella noche; sólo que cuando fui a buscar un taxi para regresar a casa, ya de madrugada, un predicador norteamericano con aspecto de pipiolo insistía, subido a un banco en una plaza, en que el alcohol era malo para la humanidad y que los islandeses tenían que arrepentirse y emprender la senda del bien.

—Me gusta Islandia y me encantan los islandeses —repetía sin que nadie le prestara atención—, pero no vais por buen camino. Islandia es el país con más suicidios del mundo y os tenéis que alejar del alcohol.

La gente aceleraba el paso cuando pasaba ante él, probablemente para llegar cuanto antes al próximo bar.

De vuelta a casa, mientras la silueta del Snaefellsjökull se dibujaba en la lejanía como una descarga de buenos augurios, me vino a la cabeza lo que escribió W. H. Auden en los años treinta: «Reykiavik es la peor ciudad de provincias imaginable en cuanto a diversiones se refiere; no había otra cosa que hacer que emborracharse en el único hotel con licencia, a un coste elevadísimo». La ciudad, evidentemente, había cambiado bastante desde que Auden la visitara. Ahora uno podía emborracharse por lo menos en más de cincuenta bares.

# 6

# La Laguna Azul

La Laguna Azul es el lugar ideal para recuperarse de una buena resaca. Me lo recetó Einar al día siguiente de la expedición nocturna por los bares de Reykiavik y pude comprobar cuánta razón tenía. Aunque tengo que admitir, para ser sincero, que cuando Einar y Gudmundur se presentaron al mediodía en mi casa, con la pretensión de llevarme en coche a ese lugar con nombre de cuento de hadas, intenté sacármelos de encima de no muy buenas maneras.

—Me duele la cabeza y tengo el estómago revuelto —alegué, mientras soñaba con largarme a Zanzíbar—. Lo último que me apetece es salir de excursión.

—Te equivocas —contraatacó Einar con aire doctoral—. Si te quedas en casa, la cabeza te seguirá doliendo. Si vamos a la Laguna Azul, en cambio, te sentará de maravilla. Un baño allí y quedas como nuevo.

—¿Un baño? ¡Pero si estamos a ocho grados!

De nada sirvieron mis protestas. Viendo que no se rendían, resignado, me endosé el forro polar y subí al desvencijado Mercedes de Gudmundur con la escasa alegría que me producía constatar que, además de dolerme la cabeza, llovía intensamente.

Antes de salir de Reykiavik, Gudmundur hizo un alto en un supermercado para comprar provisiones. Tuve que darme la vuelta cuando vi que tanto él como Einar se zampaban una salchicha con mucha mostaza, mucha cebolla y mucho ketchup. También compraron varias latas de Coca-Cola y unas chocolatinas de la marca Prince Polo.

—Prince Polo es lo que merendábamos de niños —comentó Einar, retrocediendo de repente hacia la infancia—. Esas chocolatinas polacas son de las pocas cosas que llegaban a Islandia en los años sesenta. Algún intercambio, supongo. Nosotros les enviábamos bacalao y ellos nos mandaban las Prince Polo.

Rechacé su invitación a comer una chocolatina. Lo único que me apetecía en aquellos momentos eran unas pastillas que se anunciaban como *«Hangover Stopper. It Works!»*. («Frena resacas. ¡Funciona!»).

—No creo que funcionen —comentó Einar—. Las ponen junto a la caja porque es sábado y es el día oficial de la resaca en Islandia. Francamente, yo prefiero la Laguna Azul.

—Lo que me extraña es que no hayáis comprado cervezas —dije, sarcástico.

—Las bebidas alcohólicas son monopolio del estado y sólo se venden en tiendas autorizadas —me aclaró Gudmundur—. Hay una cerca de donde vives: la reconocerás porque siempre hay cola los viernes por la tarde.

A la salida de Reykiavik, Einar me mostró un inmenso edificio de aspecto cuartelario que se levantaba en medio de un páramo rocoso. Como era de esperar, tenía su historia. Había sido un hospital para tuberculosos antes de la guerra, pero los médicos no habían tenido en cuenta las peculiaridades del clima de Islandia.

—Su método para curar a los enfermos consistía en abrir las ventanas de par en par para que circulara el aire —señaló—. El problema es que conseguían curarlos de tuberculosis, pero se les morían de pulmonía.

A continuación, dejamos atrás las últimas casas de Reykiavik y nos adentramos en el gran campo de lava que rodea a la ciudad. Durante una media hora se hizo el silencio y aproveché para dormir tumbado en el asiento trasero. Me desperté, a instancias de Einar, cuando Gudmundur giró a la izquierda, en dirección a una gran columna de humo blanco que se elevaba al pie de las montañas.

—Es la central de energía geotérmica de Svartsengi —indicó Einar—. Sacan el agua caliente del subsuelo y la mandan a la ciudad por medio de grandes tuberías. Es sencillo, barato y no contamina.

Acepté la lección sin demasiado interés. No era el mejor momento para tomar apuntes. Me desentendí del paisaje y volví a derrumbarme en el asiento. Poco después, Einar y Gudmundur me despertaban para que les acompañara al interior de un extraño edificio que parecía una especie de plataforma lunar. Les seguí como un autómata por una zanja abierta en medio de la lava y, una vez en el interior del edificio, pagamos la correspondiente entrada y nos dirigimos a los vestuarios.

—Ten —Einar me entregó un bañador—. Póntelo.

—¿Ahora? —me quejé—. ¿Con el frío que hace?

Los dos se echaron a reír.

Viendo que no aceptarían un no por respuesta, me lo puse y les seguí por un rastro mojado que nos llevó hasta una humeante laguna de un increíble color azul Caribe que se extendía en medio del campo de lava. Lloviznaba, pero aun así había una decena de cabezas con expresión de placer supremo que sobresalían del agua.

—El agua está a treinta y siete grados —me advirtió Einar—. Va muy bien para el cuerpo.

Entré más que nada para huir del frío, pero segundos después me sentía el hombre más feliz del mundo. Puede que en algunos momentos los islandeses den la impresión de estar locos de atar, pero compensa descubrir placeres como el de la Laguna Azul: el mejor remedio jamás inventado contra la resaca. El lago tiene su origen en el agua caliente que sobra de la central geotérmica y su color azul se debe a un determinado tipo de algas que crecen en las tuberías. Cuando el agua se enfría en contacto con el aire, las algas mueren y dejan una especie de sopa orgánica con ese color mágico. Hace años, un médico descubrió que bañarse en la laguna iba bien contra la psoriasis, el reuma y otras enfermedades. La laguna fue adquiriendo fama y, con el tiempo, a algún espabilado se le ocurrió vallarla y cobrar entrada, con lo que quedó inaugurada como una de las grandes atracciones turísticas del país.

—Hay una especie de lodo en el fondo —observé, sorprendido.

—Es lodo blanco —señaló Einar—. Si vamos hacia allí, hay más.

Fuimos hasta una barrera que indicaba que a partir de aquel punto el agua estaba demasiado caliente para poder resistirlo. Me embadurné el cuerpo de lodo y experimenté una intensa sensación de bienestar, como si una legión de ángeles me hubiera transportado al Valhalla. Al fondo, en medio del campo de lava, se veían las chimeneas de aluminio y el vapor que salía de la central térmica. Era una visión extraña, algo así como estar bañándose en el territorio del malo de las películas de James Bond. Era tal la sensación de estar fuera de este mundo que no me habría extrañado si de repente hubiera aparecido una nave espacial en vuelo rasante y un extraterrestre nos hubiera ametrallado a todos con un arma futurista.

Para redondear el efecto saludable de la Laguna Azul nos metimos en una cueva oscura y nos sometimos a un baño de vapor que me hizo sentir como si estuviera sudando todo lo que un ser humano puede sudar. En pocos segundos, no quedó en mi cuerpo ni una gota de la cerveza ingerida la noche anterior.

Sólo cuando volví a sumergirme en la Laguna Azul y me encontré con un cargamento de japoneses recién llegados que no dejaban de hacerse fotos comprendí que no estaba en el paraíso.

—¿Cómo te sientes? —me preguntó Einar cuando salí del agua.

—Como nuevo —dije con una sonrisa repleta de optimismo.

—Perfecto —se congratuló Gudmundur—. Para celebrarlo, iremos a dar una vuelta por los alrededores, para que te familiarices con el paisaje de Islandia.

La primera parada, tan sólo unos minutos después, fue un destino muy poco turístico: la base norteamericana de Keflavík. Desde el lugar donde nos detuvimos, en un arcén próximo a la entrada, la base era más o menos como todas las bases: un inmenso recinto cerrado con varios edificios, grandes antenas y una barrera que impedía el paso a los extraños. No se veía una actividad febril —más bien parecía que todo funcionara al ralentí—, pero según me contaron la base había desempeñado un papel de suma importancia durante la guerra fría, ya que desde allí se controlaba el tráfico aéreo y marítimo soviético de la zona, especialmente el que se dirigía a Cuba.

—En los años cincuenta, Halldór Laxness, nuestro Premio Nobel, publicó *La base atómica*, una novela que trata de las protestas que originó la construcción de la base —me explicó Einar.

Cuesta hacerse a la idea del impacto que debió de suponer para los islandeses —aislados durante siglos— la llegada masiva de tropas norteamericanas. Según cuentan los más enterados, cuando en junio de 1941 los soldados de Estados Unidos tomaron el relevo de las tropas británicas, que habían «invadido» la isla meses antes, el Gobierno islandés impuso una condición: no podía haber ningún soldado negro en Islandia. Estaban tan orgullosos de sus raíces que no querían que «la sangre vikinga» se alterara por culpa de los negros.

El número de soldados americanos destinados a Islandia llegó a ser de 25.000 (un 10% de la población), pero con el fin de la guerra, a partir de 1945, fueron abandonando la isla. El último soldado se marchó oficialmente en 1947, pero lo cierto es que los norteamericanos nunca se fueron del todo. Cuando el Gobierno islandés permitió que 600 civiles americanos se quedaran en Keflavík para trabajar en el aeropuerto, reservado a vuelos civiles, muchos soldados se quedaron «camuflados» de civiles. Está comprobado que, a pesar de los acuerdos firmados, entre 1947 y 1951, la base de Keflavík se utilizó para el transporte de tropas a Alemania. Hubo compensaciones, por supuesto: entre 1948 y 1953 Islandia recibió más ayuda del Plan Marshall que cualquier otro estado.

En 1945 el Gobierno de Estados Unidos negoció la instalación de bases en Islandia por un período de noventa y nueve años, pero los islandeses, orgullosos de su independencia recién estrenada, rehusaron la proposición. El golpe de Praga de 1948, sin embargo, acentuó la guerra fría e Islandia acabó por entrar en la OTAN. Fue una decisión muy polémica que se votó en el Parlamento en marzo de 1949 con fuerte oposición en la calle. Hubo huelga general y disturbios en Reykiavik: los manifestantes rompieron ventanas y tiraron huevos y piedras a los parlamentarios. Al final, Islandia firmó el tratado de adhesión a la OTAN en abril de 1949 con una condición: que no se establecieran tropas extranjeras en el país. El Gobierno pretendía preservar así su independencia, pero fue en vano. El deterioro de la situación internacional, tras el estallido de la guerra de Corea, obligó a Islandia a dar marcha atrás y en 1951 firmó un curioso tratado de defensa con Estados Unidos mediante el cual se produjo la paradoja de que Islandia, un país sin ejército, pasaba a ser defendida por tropas extranjeras.

—Ahora que las manifestaciones anti OTAN quedan lejos, puede afirmarse que la situación política en Islandia es bastante tranquila —sentenció Einar.

Ciertamente, son pocas las ocasiones en que la prensa extranjera se ocupa de la política islandesa. En Islandia casi nunca pasa nada, hasta tal punto que si el país es noticia en el resto del mundo hay elevadas posibilidades de que se deba a una erupción volcánica o a la celebración de alguna cumbre internacional. De todos modos, en lo que a política interior se refiere, vale la pena recordar que el primer ministro de los últimos años pertenece al conservador Partido de la Independencia y que las elecciones generales de 1999 repartieron los votos del siguiente modo: Partido de la Independencia,

40,7%; Partido Progresista (centrista, de ámbito rural), 18,4%; Partido de la Alianza (que incluye al Partido Socialdemócrata, a los ex comunistas de la Alianza del Pueblo y a la Alianza de las Mujeres), 26,8%. Los dos primeros partidos gobiernan en coalición y otros partidos con representación parlamentaria son: el Movimiento Verde de Izquierda, 9,1%, y el Partido Liberal, 4,2%.

Dentro de la calma generalizada, sin embargo, en 1975 sucedió en Islandia otro hecho destacable: una huelga de mujeres que, para celebrar el Año Internacional de la Mujer, instituido por la ONU, se manifestaron en Reykiavik pidiendo igualdad de derechos. Aquel día los hombres tuvieron que cuidarse de la casa y de los hijos. Diez años después, en 1985, las mujeres volvieron a la huelga bajo el lema «A igual trabajo, igual paga». La presidenta de entonces, Vigdís Finnbogadóttir, también hizo huelga y no acudió a su despacho presidencial. Para vehicular la fuerza de las mujeres islandesas, en 1983 nació un nuevo partido, la Alianza de las Mujeres, que consiguió tres escaños en las elecciones generales de 1983; seis en 1987 y cinco en 1991. En las últimas elecciones, en 1999, la Alianza de las Mujeres se presentó en coalición con el Partido Socialdemócrata y con la Alianza del Pueblo.

La aparición de la Alianza de las Mujeres en el panorama político de Islandia ha sido sin duda un factor importante en los últimos años. Sin embargo, si observamos el día a día, uno se da cuenta enseguida que la política islandesa tiene otra dimensión, como si todo fuera más de estar por casa. Por supuesto que se tratan temas de alto nivel, pero de vez en cuando salta a la prensa algún escándalo que difícilmente ocurriría en otros países.

—¿Quieres un ejemplo? —apuntó Einar—. En 1984 hubo una fuerte crisis política cuando el ministro de Finanzas, Albert Gudmundsson, amenazó con exiliarse si no le dejaban conservar a su perrita *Lucy*.

—¿Estás hablando en serio? —pregunté, incrédulo.

—Claro —Gudmundur asintió a su lado—. Dime, ¿has visto muchos perros en Reykiavik?

—Pues no, ahora que lo dices, no.

El motivo era contundente: en 1924 se aprobó una ley que prohibía la tenencia de perros en la ciudad porque, según decían algunos informes, podían contagiar a los seres humanos unos quistes muy peligrosos. Dado que se trataba de una ley antigua, muchos no la acataban y el Gobierno hacía la vista gorda; sin embargo, una campaña de la Sociedad de Amigos de los Animales que pretendía conseguir la legalización consiguió en los años ochenta el efecto contrario: levantar la voz de alarma. El Gobierno reaccionó aplicando la ley con celo y se mostró inflexible cuando uno de sus ministros fue denunciado por tener un perro en casa.

—Los «ilegales» que osaban tener un perro podían elegir entre pagar una multa de dos mil coronas (unos veinticuatro euros) o ir a la cárcel durante una semana —me informó Einar—. El ministro de Finanzas tenía inmunidad y no podía ir a la cárcel, pero al final tuvo que pagar la multa.

Después de esta inusual tormenta política, sin embargo, el alcalde de Reykiavik decidió anular la polémica ley. De todos modos, sigue habiendo pocos perros en la isla.

Gudmundur puso en marcha el motor y, bajo una lluvia insistente, volvió a la carretera para alejarse de la base de Keflavík. En este momento, Einar conectó la máquina de la memoria y comentó en voz alta:

—Hace unos treinta años, el aeropuerto de la base era también el de los vuelos internacionales. Los extranjeros que llegaban a la isla se sorprendían, ya que junto a los aviones civiles podía haber varios cazabombarderos y personal militar. Era como si llegaran a un país ocupado. En el nuevo tratado de 1974, sin embargo, se especificó que los americanos tomarían medidas para separar la terminal de vuelos civiles de la base militar y cooperarían en la construcción de la nueva terminal civil, aunque ésta no se inauguró hasta 1987.

—De todos modos —sonrió Gudmundur—, durante un tiempo la base tuvo sus compensaciones. Por ejemplo, antes de 1989, éste era el único lugar de Islandia donde podías beber cerveza. Estaba prohibido sacarla del recinto, pero teníamos amigos que se las apañaban para pasar cervezas en un doble fondo del coche. ¿Verdad, Einar?

Ambos se echaron a reír, recordando los días emocionantes de la prohibición, como si estuvieran hablando del Chicago de los años veinte.

7

# Una cerveza en el Valhalla

Estaba convencido de que regresábamos a Reykiavik y, de hecho, así fue. Sin embargo, al llegar a la altura de los primeros suburbios, dejó de llover y Einar se felicitó en voz alta por nuestra buena suerte.

—Podríamos aprovechar para ir a Thingvellir —sugirió—. No está lejos y es una excursión que vale la pena —hizo una pausa y añadió muy serio—. Ahí están las raíces de Islandia.

A Gudmundur, que era quien conducía, le pareció bien. Salimos, pues, de Reykiavik en dirección a la costa oeste. El tráfico en esta parte de la isla iba más cargado, aunque no demasiado: algunos camiones y muchos 4 x 4 de apariencia agresiva, con el eje elevado y aparatosas ruedas de camión. Por norma, todos llevaban las luces encendidas.

A unos diez kilómetros de Reykiavik, nos desviamos hacia el interior, por un valle en el que pacían bucólicas manadas de caballos. El paisaje no era tan volcánico como en la otra parte de la isla; aquí todo era más suave, más verde, más idílico, más habitable, aunque siempre bajo la severa vigilancia de las montañas cubiertas de nieve y de niebla. De repente, cuando no parecía que hubiera nada digno de verse, Einar conminó a Gudmundur a frenar con urgencia.

—¡Casi nos pasamos el Bosque de la Amistad! —dijo, alarmado.

—¿De qué bosque hablas? —pregunté—. Yo no veo ninguno por aquí.

—¿Cómo puedes ser tan insensible? —me riñó Einar, histriónico—. Cada vez que un dignatario extranjero visita Islandia, planta un árbol aquí como símbolo de la amistad entre ambos países.

—Pues debéis de recibir pocas visitas —comenté. A mi alrededor sólo veía un prado con unos arbustos que apenas si alcanzaban el metro y medio de altura.

Einar avanzó con decisión hacia los supuestos árboles, me invitó a ponerme a su altura y le gritó a Gudmundur que nos hiciera una foto.

—Agáchate un poco —me aconsejó—. No vayas a tapar el Bosque de la Amistad.

—Pero si esto no es un bosque... —protesté.

—No lo será para ti, pero para Islandia es un bosque muy importante —me explicó, inflamado de orgullo patrio—. Aunque te parezca mentira, éste es el auténtico Bosque de la Amistad.

Me alejé de aquel lugar con serias dudas sobre la amistad de Islandia con los países representados en aquel «bosque». Se trataba, sin duda, de un bonito ritual, muy en sintonía con el amor a la naturaleza que profesan los islandeses, pero el tamaño de los árboles parecía poner en cuestión la bondad de la iniciativa; o, como mínimo, la capacidad de la tierra islandesa para albergar ese concepto llamado bosque.

Unos minutos después, la llegada a Thingvellir me produjo una intensa emoción. Los islandeses lo citan tan a menudo como monumento nacional que uno espera encontrarse allí una serie de palacios o templos conmemorativos. Nada de eso; lo único que hay es naturaleza: un precioso valle verde hundido entre dos formaciones rocosas y con una cadena de montañas nevadas al fondo. Un río sestea por el fondo del valle hasta desembocar en un lago y una serie de pequeñas islas, llenas a rebosar de verde, marcan una suave y delicada transición entre el valle y el lago. Tan sólo hay tres edificaciones en Thingvellir: una antigua granja de tres cuerpos, una pequeña iglesia de madera y un hotel con un nombre que obliga a mucho: Valhalla.

—Esto es Thingvellir —dijo Gudmundur cuando nos detuvimos en el mirador—. Es un valle casi sagrado para los islandeses. A aquella roca se la conoce como la Roca de la Ley —señaló un punto cercano donde ondeaba la bandera del país—. Allí es donde se reunían en asamblea los primeros pobladores de la isla.

Pocos países hay en el mundo con una historia tan documentada como la de Islandia. Según el *Libro de los Pobladores* y el *Libro de los Islandeses*, durante la llamada Edad de la Población, entre 870 y 930, unas cuatrocientas familias se instalaron en la isla. La gran mayoría procedía de Noruega, pero también los había de otros países nórdicos y de las Islas Británicas, sobre todo de Irlanda. Estos inmigrantes sintieron muy pronto la necesidad de establecer una serie de normas para la convivencia. Una de ellas establecía que las tierras que podía ocupar un hombre venían fijadas por el número de fuegos, visibles entre sí, que podía encender en un día. Para las mujeres, la norma era distinta: sus tierras estaban en función de la distancia que podía recorrer en un día de primavera, entre el amanecer y el crepúsculo, guiando a una vaquilla.

En 930, cuando la parte habitable de la isla ya estaba poblada, los distintos cabecillas creyeron oportuno instituir una asamblea que se reuniera una vez al año. Enviaron a Noruega a un hombre que estudiara las leyes y los sistemas de gobierno y eligieron Thingvellir como lugar para celebrar sus reuniones. Fue el inicio del Althing, el Parlamento más antiguo de los que aún siguen en activo. El país se dividió en 35 partes y de cada una de ellas salió un representante con derecho a voto. Más tarde la cifra aumentaría a 48, a los que había que añadir el Portavoz de la Ley, el hombre más importante de la asamblea. Éste se sabía las leyes de memoria y debía recitarlas ante la asamblea desde la llamada Roca de la Ley. Tras la conversión al cristianismo, en el año 1000, se añadieron a la asamblea los dos obispos de la isla, con lo que el número de representantes subió a 51. Dado que cada representante comarcal iba acompañado de dos consejeros, el número total de parlamentarios del Althing era de 147.

Este Parlamento, que dotó a Islandia de una de las primeras democracias, tenía poderes legislativo y judicial y no consideró necesario ni establecer medios de defensa ni nombrar un soberano. En *Viking Age Iceland*, el historiador Jesse Byock explica así cómo era la asamblea: «El Althing era la reunión anual de todos los *godar* (jefes de los clanes), acompañados de su séquito. Esta reunión crucial que tenía lugar en Thingvellir, en el suroeste de Islandia, duraba dos semanas en junio, durante el período de día ininterrumpido y de clima más suave. Su cometido no era tan sólo el gobierno del país. En aquella época en que era más fácil viajar, centenares de gentes de toda Islandia, incluyendo a buhoneros, cerveceros, comerciantes y jóvenes en busca de esposa, convergían en las orillas del río Öxará, que discurre a lo largo del Althing. Thingvellir, con su gran lago y las montañas en la distancia, es un lugar de gran belleza natural. Durante dos semanas, los barrancos y los campos de lava se convertían en capital nacional. Se iniciaban, se continuaban o se rompían amistades y alianzas políticas; se pasaba información; se sellaban promesas; se contaban historias, y se hacían negocios».

Los participantes en el Althing tenían que recorrer a menudo grandes distancias para llegar al valle de Thingvellir. En la *Saga de Hrafnkell* se detalla el itinerario seguido por Hrafnkell desde su granja del norte del país y se explica que tardó diecisiete días en llegar a la asamblea. Según otra saga, la de Njal, hacia el año 1012 Flosi Thórdarsson escapó en este valle de sus perseguidores con un salto prodigioso que le hizo volar de lado a lado de una grieta. Fue un buen salto, sin duda, sobre todo para alguien que iba equipado con una pesada armadura. Todavía hoy, mil años después, los guías de Thingvellir muestran a los visitantes el punto exacto de la hazaña: una roca llamada Salto de Flosi, situada en un afluente del río Öxará.

El Althing permaneció activo, en una primera etapa, hasta 1262, año en que la corona noruega se anexionó Islandia. Más de cien años después, en 1380, el país pasó a depender de Dinamarca. En el siglo XVIII se recuperó el Parlamento como órgano consultivo y se trasladó a Reykiavik, pero Thingvellir sigue siendo una especie de santuario para los islandeses. El 17 de junio de 1944, cuando se proclamó la independencia, acudieron al valle unos 20.000 islandeses, una sexta parte de la población.

Desde lo alto del mirador podía ver enfrente el valle de Thingvellir y, a mi izquierda, un sendero que se adentraba en una falla inmensa que hendía el paisaje en dos, como si la tierra se hubiera abierto para acogerlo. Para añadir aún más carga simbólica al lugar, esa falla es la que separa dos grandes placas continentales: la de Eurasia y la de América. Mide siete kilómetros de largo y, según los geólogos, se abre unos centímetros cada año. Esto explica por qué Islandia es un país tan geológicamente activo.

—Por suerte las placas se separan lentamente —apuntó Einar—. De no ser así, Islandia acabaría partida en dos. Sería terrible con los pocos que somos.

Con la intención de hacer un alto y tomar una cerveza, saltamos de roca en roca hasta llegar al Valhalla, un hotel marcado por la tradición como el lugar ideal para la luna de miel de los islandeses. Por lo visto, si uno hace el amor bajo su techo se siente fortalecido por todas las fuerzas telúricas del país y por todo el peso de la tradición vikinga, que no es poco.

En la literatura antigua islandesa hay varias referencias al Valhalla, o Paraíso de Odín. El escritor Snorri Stúrluson lo describe, a principios del siglo XIII, como una casa de oro, iluminada por los reflejos de las espadas, adonde van a parar los guerreros muertos en la batalla. Tiene quinientas puertas y por cada puerta saldrán, el último día, ochocientos hombres. Los guerreros del Valhalla se arman cada mañana y luchan, se dan muerte y renacen. Después de la batalla, se embriagan y comen carne de jabalí inmortal. A propósito del Valhalla, escribió Jorge Luis Borges: «Hay paraísos contemplativos, paraísos voluptuosos, paraísos que tienen la forma del cuerpo humano *(Swedenborg)*, paraísos de aniquilación y de caos, pero no hay otro paraíso guerrero, no hay otro paraíso cuya delicia esté en el combate. Muchas veces lo han invocado para demostrar el temple viril de las viejas tribus germánicas».

Uno imagina el Hótel Valhalla lleno de guerreros felices que suspiran por volver a la batalla, con las armaduras marcadas por los golpes de las espadas y con ríos de cerveza a su alrededor, pero la verdad es que el interior tiene más bien aspecto de tranquilo hotel de montaña, con una mayoría de clientes de la tercera edad y una decoración entre antigua y decadente. Me senté con Einar y Gudmundur en uno de los salones, junto a un cuadro del paisajista Kjarval, una gloria nacional del campo artístico, y brindamos por Islandia con una tanda de cervezas Viking.

—¡Por Thingvellir, por el Valhalla y por Islandia! —brindó Einar.

Bebimos, pues, por todo lo que tuviera una mínima relación con Islandia mientras unos turistas norteamericanos nos observaban de reojo como si fuéramos una reencarnación de los temidos guerreros vikingos.

—Tienes que volver aquí el 1 de enero —me aconsejó Einar—. Dice la leyenda que ese día el agua del río se convierte en vino.

—¿Lo has comprobado?

—En enero hace demasiado frío para venir hasta aquí —negó con la cabeza—. Prefiero comprar el vino en las tiendas del monopolio. Tienes que pagar, pero es menos arriesgado.

Al salir del Hótel Valhalla nos dirigimos hacia la iglesia de madera del siglo XIX, construida no muy lejos de donde existió una ermita en los primeros tiempos del cristianismo.

—Una de las campanas es de 1944 —me explicó Einar—. La pusieron para celebrar la independencia, pero lo más interesante es el panteón que hay aquí cerca. Es el Cementerio de los Poetas.

En medio de un prado verde, rodeadas de un silencio y de una paz envidiables, había dos lápidas con dos nombres: Einar Benediktsson y Jónas Hallgrímsson.

—A Einar Benediktsson ya le conoces —dijo Einar—. Es el de la casa con fantasma. En cuanto al otro, era un poeta nacionalista que hacía unas poesías muy patrióticas, llenas de nostalgia. Fue él quien escribió el primer soneto en islandés. Murió en Copenhague en 1845, a los 38 años, después de una fenomenal borrachera.

Ante mi asombro, Einar se tendió de repente sobre la lápida y me animó a que le hiciera una foto.

—Si me pongo yo, al menos es seguro que habrá un escritor islandés en esta tumba —me dijo.

—¿Insinúas que Jónas Hallgrímsson no era un escritor islandés? —pregunté mientras notaba las miradas de censura de un grupo de visitantes.

—Lo que quiero decir es que no es seguro que Jónas Hallgrímsson esté enterrado aquí —respondió sin levantarse, tendido sobre la lápida como si fuera el mismísimo Bugs Bunny zampándose una zanahoria—. La historia es muy interesante y enlaza con la afición islandesa por los espíritus. Halldór Laxness escribió una novela sobre este tema y Milan Kundera la repescó hace unos años. Verás, cuando en 1944 se proclamó la independencia de Islandia, un rico islandés tuvo un sueño en el que se le aparecía el espíritu de Jónas Hallgrímsson y le suplicaba ser enterrado en su tierra. El millonario decidió financiar el traslado, pero al abrir la tumba de Copenhague encontraron un par de cadáveres:

uno era el del poeta y el otro de un carnicero danés. ¿Cuál era Jónas Hallgrímsson? Imposible saberlo. Eligieron uno al azar y lo enterraron en el panteón de poetas ilustres de Thingvellir. Hay quien sostiene, sin embargo, que el cadáver enterrado en el panteón de poetas ilustres es en realidad el del carnicero danés, cuyos huesos suspiran por volver a Copenhague, mientras que Jónas Hallgrímsson sigue enterrado en Dinamarca, lejos de su amada patria.

Einar acabó su explicación con una carcajada que debió de sacudir los huesos del pobre Jónas Hallgrímsson, donde quiera que estuvieran.

—Fíjate que sólo hay dos poetas enterrados en Thingvellir —añadió Einar levantándose de la tumba—. Desde el escándalo del traslado de los restos prefieren no volver a meter la pata.

Estuvimos paseando durante unas horas por el apacible valle de Thingvellir. Por entre las rocas, por el prado, junto al río... No era difícil imaginar las heroicidades relatadas en las sagas en aquel paisaje que sintonizaba a la perfección con la manera de ser de los islandeses. En aquel valle idílico estaban representadas a la vez la fuerza impresionante de una naturaleza a menudo excesiva y el espíritu omnipresente de una tradición que a veces se permitía algún guiño cómico, como los huesos del carnicero danés que, por un azar del destino, quizás estaban enterrados en el panteón de hombres ilustres.

# II

# UNA VUELTA POR LA ISLA

# 8

## El rastro de las sagas

Cuando uno se adentra en el paisaje de Islandia; es decir, cuando uno se aleja de Reykiavik, ese espejismo de modernidad, se da cuenta de hasta qué punto Islandia sigue siendo el país de las sagas. Lo había comprobado en mi visita a Thingvellir y volví a comprobarlo cuando Einar me propuso que le acompañara en un viaje de negocios a la Costa Este de la isla.

—Será un viaje rápido y no iremos a la parte más turística del país —me advirtió—, pero por lo menos verás algo más que Reykiavik y sus alrededores.

A medida que nos alejábamos de la capital, las casas se fueron espaciando hasta ceder todo el protagonismo a un paisaje espectacular de campos de lava, cascadas inmensas, acantilados agrestes y granjas solitarias que surgían con toda su enigmática fuerza en medio de unos campos donde sesteaban caballos, vacas y corderos. Lejos de la gran ciudad, el país parecía empapado de un halo mágico que remitía al mundo de las sagas, a aquellos relatos lejanos que los islandeses de ahora siguen considerando como la base de su historia y de su identidad.

La casa más antigua de Islandia es de 1736; es decir, de hace cuatro días. Sin embargo, uno se da cuenta de inmediato de que el auténtico tesoro del país no está en la arquitectura, sino en la fuerza de un paisaje que parece vivo y en la riqueza literaria de las sagas. Éstas son textos anónimos, escritos en el siglo XIII y procedentes de la narrativa oral, que consiguieron fijar los nombres, los actos y las costumbres de una serie de personajes que vivieron entre los años 930 y 1030, cuando Islandia era una dura tierra en la que uno tenía que luchar para encarrilar su destino.

Para Jorge Luis Borges, las sagas (significa «narraciones») son «una especie de epopeyas en prosa» que contienen biografías de algunos hombres de la antigua Islandia. Y añade: «El estilo es breve, claro, casi oral; suele incluir, como adorno, aliteraciones. Abundan las genealogías, los litigios, las peleas. El orden es estrictamente cronológico; no hay análisis de los caracteres; los personajes se muestran en los actos y en las palabras. Este procedimiento da a las sagas un carácter dramático y prefigura la técnica del cinematógrafo. El autor no comenta lo que refiere. En las sagas, como en la realidad, hay hechos que al principio son oscuros y que luego se explican y hechos que parecen insignificantes y luego cobran importancia».

Hay sagas que relatan historias de obispos, de exploradores y de guerreros, pero el conjunto más importante lo forman las llamadas Sagas Familiares. Se conservan unas cuarenta, copiadas posteriormente en manuscritos, y cuentan en prosa hechos sucedidos en los siglos X y XI a jefes islandeses y a otras gentes. Suelen describir situaciones familiares y a menudo, como en los *westerns*, se detienen en los litigios entre vecinos por cuestiones de tierras. Según el cálculo de un experto, en el conjunto de las sagas hay un total de 520 litigios, de los que sólo un 10% se dirimen por medio de la ley. Algunas, como la *Saga de Hrafnkell*, constan sólo de unas veinte páginas y otras, como la *Saga de Njal*, tienen más de trescientas. Las sagas de Njal, de Egil, de Grettir *el Fuerte* y de Laxdaela son las más famosas. En ellas se habla de vida familiar, de disputas, de duelos y sobre todo de la defensa del honor. En la de Grettir hay más de doscientos personajes y en el conjunto de todas ellas encontramos a héroes inolvidables como Egil Skallagrímsson, que recita poesía en medio de la batalla; Ólafur *el Pavo*, que acude al Althing con su túnica escarlata; Njal, que muere en el incendio de su casa, junto a los suyos; Grettir *el Fuerte*, que lucha con una troll detrás de una cascada; o Gudrún Ósvifsdóttir, que mantiene su dignidad incluso cuando el asesino de su esposo limpia la sangre de su espada en su vestido, junto a su vientre preñado.

La lectura en voz alta de las sagas, que solía hacerse junto al fuego en las largas noches de invierno, proporcionó entretenimiento a lo largo de los siglos en la Islandia rural. Ahora, sin embargo, son vistas como un excelente material literario y como fuente de información sobre la vida de los islandeses del medievo. Halldór Laxness, que intentó rescatar en sus novelas el temple de las sagas, escribió: «Las sagas son nuestros cimientos culturales. Sin ellas seríamos tan sólo otra isla danesa».

A algunos estudiosos, las sagas les recuerdan los cantares de gesta franceses, mientras que otros las comparan con *Guerra y paz* de Tosltói. Está claro, en todo caso, que son una literatura única en la Europa de la época. El diagnóstico de Borges es preciso: «En el siglo XIII los islandeses descubren la novela, el arte de Cervantes y de Flaubert, y ese descubrimiento es tan secreto y tan estéril para el resto del mundo, como su descubrimiento de América».

Mientras salíamos de Reykiavik en el coche de Einar, imbuidos del espíritu de las sagas, éste me explicó que nuestro destino era un pequeño pueblo de la Costa Este llamado Djúpivogur, a unos 550 kilómetros de la capital. Él participaba en un proyecto para instalar una granja de salmones en el citado fiordo y tenía que ir a negociar algunos cabos sueltos.

—Tendré que ir a reuniones de negocios, pero tú puedes escaparte para pasear por donde quieras —me dijo.

Era mi primer viaje largo por la isla, pero ya conocía el paisaje de los alrededores de Reykiavik: una sucesión de campos de lava, con un fondo de montañas casi siempre cubiertas de niebla, que se abría a una especie de tierra prometida al llegar a la zona termal de Hveragerdi. Hacía frío y caía una lluvia monótona que no parecía que fuera a parar durante semanas, pero era evidente que a Einar no le importaba.

—Es un clima ideal para viajar —anunció con optimismo—. Si todo va bien, a medianoche estaremos en Djúpivogur.

A la salida de Hveragerdi, Einar me advirtió que un desvío que ignoramos llevaba hacia los géiseres más espectaculares del país.

—Me gustaría poder visitarlos —murmuró entre dientes—, pero vamos cortos de tiempo.

—Ya —acepté—. Y éste no es un viaje turístico...

—Tú lo has dicho, amigo —sonrió.

Me sabía mal perderme los géiseres, pero en el fondo me gustaba la idea de no sentirme un turista en Islandia. Estaba claro que no iba a hacer el típico circuito de vea Islandia en tres días, sino que estaba acompañando a un amigo en un curioso viaje de negocios por un paisaje mágico.

Tras dejar atrás el pueblo de Selfoss, el paisaje pareció vaciarse por completo. Todo seguía siendo verde, muy verde, pero la ausencia de casas era patente. Tan sólo había alguna granja aislada de vez en cuando, con manadas de caballos que pacían tranquilamente a su alrededor.

—El caballo islandés es más pequeño que los otros —me apuntó Einar—. En el pasado se solía usar para las minas, pero ahora se vende mucho en Alemania para que lo monten los niños.

Los caballos islandeses son como ponis, con una gruesa cola y una abundante crin que les cae sobre los ojos y les da un aire travieso. Para confirmar sus diferencias respecto a los caballos del resto del mundo, el islandés tiene un paso más: a los habituales andar, trote, galope y al paso añade el *tölt*, o paso en carrera, ideal para las excursiones.

No tardamos en cruzarnos con grupos de turistas que visitaban la isla a caballo. Me dio envidia cuando vi que abandonaban la carretera para adentrarse hacia la parte oscura de la isla, dominada por montañas, glaciares y nubarrones que parecía que no iban a retirarse nunca. Aunque la mayoría de las sagas se sitúa en la Costa Oeste de la isla, la zona de Thórsmörk, a los pies del glaciar Mýrdalsjökull, aparece citada en la *Saga de Njal* y se ha convertido para los islandeses, al cabo de los años, en una especie de shakespeariano Bosque de Arden. Esta saga narra las peripecias de un hombre de paz llamado Njal y de su amigo Gunnar, un gran luchador. Ambos mueren de manera violenta y todavía hoy, muchos siglos después de que vivieran, los islandeses te muestran los escenarios donde ocurrieron sus aventuras con un detallismo escalofriante, como si nada hubiera cambiado en el país. Es difícil sacarse de encima, mientras uno viaja por el país, esta increíble supervivencia de las sagas y una sensación única de soledad. En 1882, en su libro *Por colinas y fiordos*, la viajera británica Miss Oswald escribió: «Sólo en Islandia uno está realmente solo, y los grandes espacios despoblados y desiertos contagian parte de su calma al espíritu. Era como escuchar una música noble, aunque confusa y difícil de seguir. Si el paisaje italiano es como Mozart; si en Suiza, lo dulce y sublime se corresponden artísticamente con Beethoven; podríamos tomar Islandia como el modelo de naturaleza musical de los modernos, pongamos un Schumann en su expresión más salvaje y extraña».

Pasamos ante varias cascadas en nuestro camino hacia el este. Se desplomaban con toda su fuerza junto a la carretera desde lo alto de acantilados cortados a pico y daban origen a ríos que sesteaban en su corto recorrido hasta el mar. Daba la impresión de que el centro de la isla era una zona montañosa coronada por un inmenso pastel helado que se derretía por momentos y del que manaba un sinfín de torrentes impetuosos.

La luz se fue haciendo más sesgada a medida que avanzaba la tarde. Las sombras se alargaban y el paisaje se cubría de una luz mágica que parecía propia de las trampas de Hollywood. Al llegar al cabo Dyrhólaey, Einar abandonó la carretera y se adentró por una pista de tierra que atravesaba una zona de marismas para desembocar en una larga playa de arena negra. Unos acantilados castigados por el viento y con cavidades excavadas en la roca se ofrecían como un espectáculo abrupto, de gran belleza, que hacía pensar en un mar revoltoso y en mil historias de naufragios. En el horizonte, las islas Vestmann se distinguían como un mundo improbable en medio de un mar gris.

Tras extasiarnos ante aquel paisaje de dimensiones épicas, seguimos viaje hacia el este.

—Hay pocos coches por este lado de la isla —comentó Einar—. Si no hubieras venido tú, habría viajado en avión. Por carretera, cuando ya lo has visto mil veces, es un viaje largo y pesado.

Le di las gracias por el detalle, ya que a mí me parecía un viaje fascinante, sobre todo cuando llegamos a la altura de los grandes glaciares. Las nubes se apartaron por un instante y pude ver, en los valles altos, el resplandor del hielo: una gran mancha blanca que se adaptaba a aquella orografía torturada y que se dividía en numerosas lenguas que parecían amenazar la carretera. A un lado estaba el mar; al otro, como un contrasentido, el glaciar. Daba la impresión de que Islandia era un paisaje alpino al que alguien le hubiera hurtado la parte intermedia de la montaña, la que corresponde a bosques y a pueblos. Las cascadas eran cada vez más frecuentes, hasta el punto que, como ya había vaticinado Einar, dejaron de llamarme la atención. Era tan sólo agua que caía, agua y nada más que agua. Muy de vez en cuando, la aparición de una granja con el tejado cubierto de hierba se encargaba de recordar que aún había humanos que osaban vivir en aquellos lugares inhóspitos, en aquella tierra de dioses.

Paramos a tomar un café en un pueblo llamado Vík, que significa «bahía» en islandés.

—La última parada antes del desierto —proclamó Einar.

—¿Desierto? —pregunté—. ¿No lo era ya lo que hemos dejado atrás?

—Oh, no —se echó a reír—. Esto era un vergel comparado con lo que viene.

Al bajar del coche noté que el frío era ahora mucho más intenso. Debíamos de estar a dos o tres grados. Alrededor de la barra del café se agrupaban los pocos conductores que se aventuraban por aquella zona. No eran más de media docena y sostenían la taza de café abrazándola con las manos, con un gesto invernal.

Los cafés de carretera son todos iguales en Islandia. Un espacio pequeño con grandes ventanales, unas pocas mesas de formica y una barra larga llena de chucherías, con un lugar especial para los caramelos Tópas y para las chocolatinas Prince Polo. Nada de alcohol. En un rincón, un chico o una chica suelen hacer salchichas calientes que introducen con monotonía en el pan y depositan en unos soportes acanalados, junto al aderezo de cebolla, el ketchup y la mostaza. En el rincón opuesto de la barra suele haber un mostrador lleno de cintas de vídeo donde los lugareños buscan la receta para combatir la soledad.

Poco después de abandonar la cafetería entendí a qué se refería Einar al hablar de «desierto». Ante nosotros, entre la montaña y el mar, se abría una inmensa explanada de arena negra; sin rocas, sin hierbas, sin nada... Era el desierto más inhóspito, sin atributos de ningún tipo. En lo alto se divisaban los dominios del Vatnajökull, el glaciar más grande de Europa, con una superficie de 8.400 kilómetros cuadrados, lo que supone más de dos veces la isla de Mallorca. Comparados con aquella gran masa de hielo, que en algunos puntos alcanzaba los 900 metros de espesor, todos los glaciares que había visto anteriormente parecían reducciones a escala. El conjunto resultaba de una gran belleza: una increíble sinfonía de niebla, rocas, hielo, nubes y una luz misteriosa al fondo que evocaba a los paisajistas románticos alemanes.

—Esta carretera la abrieron en 1974 —me explicó Einar sin detenerse—. Tuvieron que construir unos cuantos puentes para poder pasar sobre los ríos que salen del glaciar.

—¿Y cómo se llegaba antes hasta aquí?

—Pues a pie o a caballo. No es extraño que los primeros días la carretera se llenara de coches. La gente de Reykiavik quería ver lo que había por esta parte de la isla.

El viaje se alargaba y tenía la sensación de que estábamos cada vez más lejos de todo, como si hubiéramos emprendido un viaje definitivo para abandonar la civilización. Sólo muy de vez en cuando nos cruzábamos con algún 4 × 4 cargado de aventureros de fin de semana.

—Los primeros pobladores creían que había dos partes en la isla —me explicó Einar—: la costa, poblada y gobernada por leyes, y el interior, poblado por trolls y fuera de la ley.

No me pareció ninguna tontería. Observando el gran glaciar daba la impresión de que reinaba sobre un mundo aparte en el que las leyes de los humanos no tenían ninguna validez.

De repente, sin aviso previo, cuando el paisaje parecía que iba a consistir en una eterna variación de rocas, hielo y juegos de luz, llegamos a un lugar mágico llamado Jökulsarlón.

—¡Ahí la tienes! —dijo Einar con un orgullo no disimulado—. Esta laguna es uno de los sitios más bellos del país. Es probable que la vieras en *Panorama para matar*, de James Bond...

Estaba demasiado asombrado para poder responder, pero recordé vagamente una persecución en lanchas motoras entre bloques de hielo. ¿Era Roger Moore el protagonista? La verdad es que no importaba demasiado. Lo fascinante era que, junto a la carretera, a pocos metros del mar, se extendía una gran laguna nacida del deshielo del glaciar, con grandes bloques de hielo que flotaban a la deriva. Era tarde ya, las nueve de la noche, pero los tonos azules y verdes del hielo resplandecían con una luz propia que parecía confirmar todas las teorías sobre la existencia de los elfos y otros seres ocultos en aquel extraño país.

—Cuando las inundaciones de 1996 era imposible llegar hasta aquí —me indicó Einar—. Una erupción volcánica subterránea fundió una parte del hielo del glaciar y la inundación se llevó la carretera y los puentes.

Un ingeniero de caminos en Islandia debe de sentirse como una especie de demiurgo, obligado a luchar contra la fuerza de la naturaleza y contra los seres ocultos.

A Einar le costó convencerme de que regresara al coche. Lo consiguió con la promesa de que en el viaje de vuelta nos detendríamos allí todo el tiempo que quisiera. Habíamos tardado seis horas en recorrer los 360 kilómetros que separan Jökulsarlón de Reykiavik y aún nos faltaban tres más hasta Djúpivogur, pero me sentía compensado de sobra.

Hice el resto del viaje como en trance, sin poderme sacar de la cabeza la belleza de aquel glaciar que desembocaba prácticamente en el mar. A través de la ventanilla desfilaba un paisaje ondulado de pendientes negras, estrechos valles verdes, mar gris y niebla, siempre con aquella inquietante luz de medianoche que invitaba a imaginar otros mundos. Cuando en el radiocasete del coche sonó *Riders in the Storm*, de The Doors, la acogimos como un himno. Éramos como jinetes que cabalgaban en medio de una noche mágica, sin oscuridad, con paisajes bellísimos absolutamente distintos de todo lo que había visto hasta entonces y sin rastro de presencia humana.

Tras un último tramo por una carretera sinuosa, que reseguía el perfil inacabable de un sinfín de fiordos, llegamos por fin a Djúpivogur. Eran las doce de la noche y en el cielo continuaba reinando aquella enigmática luz de medianoche. Nos dirigimos al Hótel Framtíd, frente al puerto, y caí dormido incluso antes de proponérmelo. Soñé que estaba en un país completamente blanco, una pura acumulación de nieve y hielo, en el que, cegado por la luz, creía intuir de vez en cuando la sombra fugaz de unos escurridizos «seres ocultos».

## 9

# Elfos y salmones

Cuando me desperté —iba a escribir al amanecer, pero en verano no hay amaneceres por aquellas latitudes— descubrí a través de la ventana toda la belleza de Djúpivogur. Tenía ante mí un fiordo largo y estrecho, encajonado entre montañas cubiertas de verde y de niebla y con unas pocas casas arracimadas alrededor del puerto. Incluso en verano el pueblo tenía un aspecto cien por cien invernal: recogido, ensimismado, consciente de su fragilidad en medio de aquel paisaje épico. Unos pescadores bajaban hacia el puerto con el frío reflejado en sus rostros y en sus ademanes. Hablaban entre sí, pero no pude comprender lo que decían. Recordé que un viajero inglés del XIX había dejado escrito que el islandés hablado tiene a menudo la cadencia de una música subyugadora.

Salí a estirar las piernas para situarme en mi nuevo hábitat. Djúpivogur parecía un pueblo fantasma, sin gente, sin coches, sin ruidos, sin nada. Era la calma absoluta, la ausencia de vida. Me gustaba el hotel donde estaba alojado. Su nombre,

Framtíd, significa «futuro» en islandés, como si los lugareños necesitaran proclamar bien alto su fe en un futuro que parecía ignorarles. Era un edificio de líneas clásicas, con tejado a dos aguas, paredes exteriores recubiertas de chapa ondulada para combatir el frío y la nieve y con el interior forrado de madera.

Mientras desayunábamos, Einar se puso a hablar con tanto entusiasmo del proyecto de granja de salmones en el que estaba implicado que me sentí como si participara en una de esas películas en las que la vida de un pueblo se ve alterada con la llegada de un forastero con un ambicioso plan bajo el brazo. Algo así como *Bienvenido Mister Marshall* o, mejor aún, *Local Hero*, una película británica de 1983, con una buena banda sonora de Mark Knopfler, que en España alguien tuvo la ocurrencia de traducir como *Un tipo genial*, título que a todas luces devaluaba el «héroe» del original. En *Local Hero* se narra la historia de un pequeño pueblo de la costa escocesa, un equivalente a Djúpivogur, que imagina una lluvia de millones a raíz de la llegada del representante de una empresa petrolífera. Años atrás, en un viaje a Escocia, yo mismo había peregrinado por los lugares donde se filmó la película y había descubierto que lo que en el cine era un pueblo con unas playas preciosas, en la realidad eran dos puntos separados por muchos kilómetros: el pueblo correspondía a la pequeña población de Pennan, en la Costa Este de Escocia; las playas, en cambio, eran las de Mallaig, situadas en la Costa Oeste. En fin, las trampas habituales del cine, esa máquina de mentiras que inventa realidades con pretensión de verdad.

En Djúpivogur, sin embargo, no había ni trampa ni cartón. Tanto el pueblo como el fiordo y sus gentes eran auténticos y yo no podía evitar la sensación de sentirme como un personaje de *Local Hero*. Mi amigo Einar llegaba con un gran proyecto y todos se apresuraban a recibirle como a un héroe.

—Me siento raro aquí —me confesó Einar—. Todos me miran como si vieran una promesa de dinero a plazo fijo. La última vez que vine, un hombre insistió en que le acompañara al lavabo. Pensé que era homosexual y decliné la oferta, pero el hombre insistió tanto que al final le seguí. Entramos en el lavabo y, con un orgullo evidente, picó con la mano plana en la pared y me preguntó: «¿Qué te parece?». Balbuceé que era una hermosa pared y el hombre, satisfecho, me dijo: «Mi hijo ha puesto las baldosas. Esto es lo que necesitas para tu proyecto. Él puede hacerlo mejor que nadie».

Einar soltó una carcajada y siguió hablando de su proyecto:

—Los salmones son muy suyos —comentó—. No crían en cualquier parte. Hemos elegido este fiordo porque reúne las condiciones ideales. La temperatura del agua y la profundidad son las correctas... Las perspectivas del negocio son buenas y los del pueblo están encantados con la granja, ya que dará trabajo a mucha gente.

—¿Y qué opinan los ecologistas?

—Se quejan... Dicen que los salmones tienen que estar en los ríos, pero nuestra granja estará en el mar y no alterará la belleza del fiordo. Sólo habrá jaulas llenas de peces dentro del agua.

Einar consultó el reloj. Se hacía tarde y el alcalde le esperaba. Le despedí en la puerta del hotel y me puse a hablar con el hijo del propietario, un joven llamado Arnar que hablaba un castellano perfecto.

—Trabajo nueve meses al año en un hotel de Tegucigalpa, en Honduras —me explicó—. Los tres restantes los paso aquí, en Islandia, con la familia.

—Debe de ser todo un contraste.

—A mí me gusta, pero mi mujer no lo lleva muy bien.

La mujer de Arnar era una bella hondureña de rasgos indios y de pelo y ojos negrísimos. Cuando apareció, unos minutos después, me pareció como un error de guión.

—Me gusta más Honduras, claro —confirmó con una sonrisa tímida—. Aquí hace demasiado frío. Hay nieve hasta en verano.

Les pregunté a los dos qué podía hacer en Djúpivogur, ya que tenía ante mí la gozosa perspectiva de un día libre.

—Lo mejor es que te quedes en el hotel —me aconsejó ella—. Aquí por lo menos estarás caliente.

—Podrías ir a la isla de Papey —propuso Arnar, más positivo.

—¿Y qué hay allí?

—Ahora nada, pero en el pasado hubo monjes irlandeses, de los primeros que llegaron a la isla, antes incluso que los vikingos.

—Preferiría caminar —objeté. Estaba empezando a llover y no me apetecía hacerme a la mar con aquel tiempo.

—Pues puedes ir hasta la Capilla de los Elfos —sugirió ella, con la mirada repentinamente iluminada.

Me gustó tanto el nombre que no lo dudé: salí del hotel equipado con un impermeable y me fui andado hacia la salida del pueblo. Tal como imaginaba, la capilla no era una construcción humana, sino que consistía en un extraño cúmulo de rocas que, según se murmuraba, era un punto de reunión de los elfos. No sabría decir si allí había elfos o no, pero lo que sí puedo asegurar es que se respiraba algo mágico. Me senté durante un rato ante lo que podría considerarse la fachada de la capilla dispuesto a disfrutar del silencio, pero no tardé en empezar a oír ruidos extraños, como si alguien estuviera cuchicheando a mis espaldas. Me giré de repente un par de veces, pensando que cogería in fraganti a una pandilla de elfos desternillándose de risa, pero lo único que pude ver fueron las briznas de hierba agitadas por el viento.

Cuando uno lleva unos días en Islandia, deja de sorprenderle que la gente del país crea en la existencia de «los seres ocultos». Al contrario, piensa que se quedan cortos. Detrás de cada roca parece haber unos cuantos elfos haciendo travesuras, y escondidos en la niebla seguro que campan un par de trolls... Cuenta la tradición que los «seres ocultos» nacieron en los tiempos de Adán y Eva. Ante una anunciada visita de Dios, Eva estaba lavando a sus hijos, pero Dios llegó antes de lo previsto, cuando aún le quedaban algunos niños sucios. Avergonzada, Eva los escondió, pero Dios, que por algo es todopoderoso, acabó descubriéndolos. «Lo que no pueden ver los ojos de Dios —sentenció—, tampoco podrán verlo los hombres.» Así nacieron los llamados «seres ocultos».

Según las estadísticas, un 5% de los islandeses ha visto elfos en alguna ocasión y un 55% cree en su existencia sin haberlos visto. Esta creencia se concreta en ocasiones en actitudes sorprendentes. En 1971, por ejemplo, una empresa constructora pretendió construir una casa en un solar de Kópavogur, cerca de Reykiavik, donde había dos rocas enormes. La mayor de las rocas se partió cuando la alzó una grúa y tres de los obreros implicados sufrieron accidentes poco después. Las gentes del lugar lo interpretaron como un deseo de los «seres ocultos» de que nadie turbara su paz. Al final se decidió no construir en aquel solar e incluso se desvió la calle para no molestar a la tozuda colonia de elfos. Otra historia más lejana, del siglo XVII, asegura que una mujer juró que se había quedado embarazada por obra y gracia de un elfo. El problema vino cuando el hijo, a pesar de ser el fruto de un «ser oculto», resultó ser perfectamente visible.

Siguiendo con las «evidencias» sobre la existencia de los elfos, en un restaurante cercano a

Reykiavik sirven un menú especial para esos «seres ocultos». No, no es un menú compuesto de manjares invisibles, sino que se concreta en varios suculentos platos de variados colores. Erla Stefánsdóttir, especialista en elfos e ideóloga del menú especial, ha escrito: «En mi juventud, jugaba con los niños de los elfos y a menudo me invitaban a comer con ellos. Todo lo que nos servían en la mesa tenía un color alegre. Lo que me sorprendía entonces —y todavía hoy— eran los pasteles. Tenían una forma extraña, en espiral, y estaban decorados con un azúcar en bruto que centelleaba como los diamantes». Curioso mundo el de los elfos... Y productivo. Los propietarios del restaurante pueden considerarse afortunados, ya que lo visitan más los turistas que los elfos. Son sin duda alguna más vulgares, pero tienen la ventaja de pagar con dinero contante y sonante y no con dinero invisible.

A diferencia de los elfos, que suelen caer simpáticos, los trolls, también invisibles, son descritos como criaturas horribles, gigantescas y deformes. En la *Saga de Grettir* el protagonista se pelea con un troll y en otros textos de la época se habla de estos personajes que se han hecho famosos gracias a *El Señor de los Anillos* de Tolkien. Son seres que parecen surgidos de las entrañas de la tierra, de una consistencia pétrea, inhumana, que pueblan las pesadillas de los niños islandeses.

A mediodía, deseché cualquier tentación de alimentarme con comida para elfos y me conformé con un bocadillo en un viejo almacén del pueblo reconvertido en museo y cafetería. Desde la ventana, veía la gasolinera y el puerto, los principales centros de actividad. La poca gente que pasaba andaba sin prisa, como si el tiempo allí se midiera de un modo distinto. Me estaba tomando un *skyr* —una especie de yogur local muy rico— cuando vi pasar a Einar acompañado de un personaje que debía de ser el alcalde. Hablaban animadamente y de vez en cuando se detenían para indicar algún punto del fiordo con el brazo alargado. Supuse que estaban hablando de la granja de salmones, de dónde se ubicaría, de las ventajas que supondría para el pueblo, de inversiones, de cambios, de dinero... Me vinieron a la cabeza las imágenes y la música de *Local Hero*. Djúpivogur se preparaba para afrontar un futuro distinto. ¿Cómo terminaría todo aquello? ¿Cómo se lo tomarían los elfos?

A primera hora de la tarde, cuando por fin terminaron sus reuniones de trabajo, Einar regresó al hotel.

—Tengo que ir al aeropuerto de Egilsstadir a recoger a un abogado. Luego iremos juntos a otro fiordo donde nos espera otra reunión —me anunció—. ¿Quieres acompañarme o prefieres quedarte aquí?

Opté por ir con él. Mi relación con los elfos no podía ir mucho más allá y, por otra parte, se me presentaba otra ocasión para profundizar en el paisaje islandés.

## 10

## Un atajo por la montaña

No había atascos a la salida de Djúpivogur, por supuesto. Es más: por no haber, no nos cruzamos ni con un solo coche. Einar siguió la carretera, que discurría pegada a la costa, y al llegar al fondo del fiordo se dejó tentar por un cartel que indicaba un desvío en dirección a Öxi.

—¡Por aquí nos ahorramos sesenta kilómetros! —me guiñó un ojo mientras se adentraba en una pista sin asfaltar—. ¡Menudo chollo! En vez de ir por estas carreteras infinitas que entran y salen de los fiordos, acortaremos por la montaña.

Fue pronunciar estas palabras y, como si el destino quisiera avisarnos de algo, oír la primera piedra que chocaba contra los bajos del Golf.

—Espero que el camino no empeore —suspiré—. Tu coche es más bien bajo.

—Tranquilo —me dijo—. El alcalde me lo ha recomendado y me ha asegurado que no tendríamos ningún problema.

A pesar de las palabras del alcalde, me alarmó comprobar que el camino se iba haciendo más estrecho y más cuesta arriba. Menudeaban las piedras sueltas de gran tamaño y a nuestro alrededor el paisaje era cada vez más escarpado, con las montañas nevadas enfrente y un abismo a nuestros pies. En pocos minutos, casi sin darnos cuenta y ante la mirada indiferente de algunos corderos, pasamos de la costa a la alta montaña. De vez en cuando, una aparatosa cascada nos advertía de los desniveles que íbamos salvando, como si fuéramos superando las distintas pruebas de un juego de ordenador. Tras culminar, con algunos problemas, un tramo especialmente duro, nos encontramos de frente con un 4 × 4.

—No podéis seguir con un coche tan bajo —nos advirtió el conductor, un turista francés—. Un poco más arriba el río crece y no hay ningún puente. Baja mucha agua y el lecho está lleno de piedras. No podréis atravesarlo.

A regañadientes, Einar se resignó a retroceder.

—Podéis dar media vuelta un poco más adelante —nos aconsejó el francés—. Allí el camino se ensancha y es más fácil hacer maniobra.

Al llegar al lugar recomendado por el francés quedamos extasiados ante la visión del valle. Habíamos subido mucho en pocos kilómetros y ahora gozábamos de una perspectiva casi aérea de la zona: con el valle en primer término, atravesado por el curso del río, y el fiordo al fondo, con una luz tenue y una niebla espesa que cubría las montañas y evocaba ambientes wagnerianos. Al apearnos para disfrutar del panorama, comprobamos que hacía frío, mucho frío, y que estaba empezando a llover.

—¡Mierda! —se quejó Einar—. Me hubiera gustado cruzar por este paso.

Poco después bajaron de la montaña dos aparatosos 4 × 4, con ruedas enormes, parachoques agresivos y ejes levantados. A su lado, el Golf de Einar parecía un coche de juguete. La gente que se apeó de los 4 × 4 iba equipada con anoraks, gorros y botas de montaña. Como contraste, Einar llevaba uno de sus mejores trajes, mocasines y una corbata elegida especialmente para sus importantes reuniones de trabajo.

—¿Está tan mal el camino como dicen? —preguntó Einar en inglés a los recién llegados.

Uno de ellos, una mujer joven y rubia, se lo quedó mirando y dijo en islandés:

—Tú eres Einar, ¿no?

—El mismo.

—¿No me reconoces? Fuimos juntos a la escuela.

La célebre endogamia islandesa volvía a hacer su aparición. Esta vez en un lugar remoto, lejos de las concurridas calles de Reykiavik.

Ambos estuvieron hablando en islandés un buen rato, hasta que Einar, con bríos renovados, me dijo que subiera al coche.

—¿Damos media vuelta? —pregunté.

—No, qué va... Seguimos hacia delante. Esa chica me ha dicho que el camino no está tan mal y que podemos pasar sin problemas.

—¿Estás seguro?

—Por supuesto.

—Pero el francés ha dicho...

—Esos franceses siempre exageran... —sacudió la cabeza de lado a lado—. Me fío más de la chica. No sólo es islandesa, sino que estudiamos juntos hace años y ahora es miembro del Parlamento. ¿Por qué habría de mentirme?

Con mi amasijo de dudas, pero con el valioso aval de un alcalde y de una parlamentaria, seguimos montaña arriba, sin hacer caso de los «clangs» y «clongs» que ilustraban los quejidos del coche. Todo fue más o menos bien, hasta que llegamos a un río. Era hermoso y de aguas bravas, pero presentaba un pequeño problema: carecía de puente.

—¡Oh, Dios mío! —exclamó Einar, llevándose las manos a la cabeza—. Creo que aquí se acaba nuestra aventura.

Bajamos a pie para inspeccionarlo y, para mi sorpresa, Einar decidió que, a pesar de todo, intentaría cruzarlo. Yo me quedé fuera, por si acaso, junto a una mancha de nieve que indicaba que ya habíamos subido más de lo aconsejable.

Einar puso en marcha el motor, adoptó una expresión de feroz guerrero vikingo y avanzó hacia el río con un grito poderoso que resonó con fuerza en las montañas. Las ruedas se sumergieron en el agua hasta la mitad y por un momento pareció que el coche iba a quedar atascado. Al final, sin embargo, con el motor rugiendo como un león, logramos atravesar el río.

—¡Misión cumplida! —celebró Einar mientras yo saltaba de piedra en piedra—. Ya decía yo que este francés exageraba. Por un río de nada...

Convencidos de que lo peor ya había pasado, seguimos dando tumbos por el monte cuando, de repente —¡oh, sorpresa!— otro río se cruzó en nuestro camino. Se parecía mucho al primero y, como aquél, presentaba la originalidad de carecer de puente. Einar no lo dudó: aceleró, entró en las aguas sin arredrarse, levantó una gran ola a su paso y lo cruzó sin demasiados problemas.

Lo mismo hicimos con el tercer río. Y con el cuarto... Cada vez más arriba, cada vez por un camino peor, si es que a aquel montón de piedras se le podía llamar camino. Para darnos ánimos, nos pusimos a cantar *Many Rivers to Cross*, de Jimmy Cliff, y *Like a Bridge over Troubled Waters*, de Simon y Garfunkel, dos temas que nos parecieron muy apropiados. Cantábamos a grito pelado, como si fueran himnos para conjurar el peligro, pero me temo que lo único que conseguimos fue que arreciara la lluvia. Al llegar al quinto río, sin embargo, ambos nos callamos de repente y nos miramos con un gran interrogante grabado en nuestros rostros. Esta vez no se trataba de un río como los demás, sino que era más grande, más caudaloso, más ancho, más imponente y, probablemente, más hondo. Y sin puente, claro.

—Aquí termina nuestro atajo —dije, resignado.

—Nada de eso —proclamó Einar, decidido—. Un guerrero vikingo nunca se rinde. ¡Agárrate bien!

Pisó el acelerador sin darme tiempo a detenerle y se metió en el río a toda velocidad. Instantes después pudimos ver cómo el agua salpicaba por encima del motor. La otra orilla era una línea difusa que parecía estar a una distancia de años luz, como una tabla de salvación absolutamente fuera de nuestro alcance. Estaba seguro de que no saldríamos de aquélla, pero, tras una serie de dudas del motor y unas fuertes sacudidas, el Golf consiguió llegar hasta la otra orilla en medio de unos tumbos espectaculares.

—¡Hurra! —celebró Einar, mientras me abrazaba como si hubiéramos salido victoriosos de una dura batalla—. ¡Odín nos ha protegido!

Cruzamos todavía un par de torrentes y subimos renqueando por una especie de camino de cabras hasta alcanzar el punto más alto del paso. Las manchas de nieve eran cada vez más extensas a nuestro alrededor. Para que nuestra inmersión en la Islandia montañosa fuera completa, de repente bajó la niebla y se puso a llover con fuerza. No se veía ni a un par de metros, pero íbamos ya absolutamente confiados, convencidos de que Tor y Odín nos protegían y de que nada podía detener a un par de aguerridos vikingos.

Tras el último repecho, cuando el camino ya no era ni tan siquiera aconsejable para las cabras, descubrimos entre jirones de niebla a una pareja que estaba revisando las ruedas de su 4 × 4, preparándolo para lo peor. La mujer giró la cabeza al oír un motor y, cuando vio que se trataba de un Golf, nos señaló con un dedo y abrió unos ojos como platos. El rostro del hombre que la acompañaba era también todo un poema. Conscientes de nuestro momento de gloria, nos limitamos a saludarlos con un gesto breve de la mano, como quien se cruza con un vecino por la calle en un día soleado.

—Esta mujer no nos olvidará fácilmente —rió Einar—. Debe de ser frustrante. Creían que estaban en un camino sólo para aventureros avezados, muy lejos de la civilización, y se cruzan con un Golf conducido por unos urbanitas como nosotros.

A partir de aquel momento, el camino mejoró sensiblemente. Iniciamos el descenso por el otro lado de la montaña, por una pista en buen estado, con puentes fiables que permitían cruzar ríos caudalosos y rodeados de un paisaje verde y amable.

—Por la carretera, ya habríamos llegado al aeropuerto hace media hora —se quejó Einar mientras consultaba su reloj.

—¿Estás seguro de que el alcalde está a favor de la granja de salmones? —pregunté con ironía.

—Claro. ¿Por qué lo preguntas?

—No sé, pero yo no llamaría a lo que hemos pasado un buen atajo... ¿Por qué te lo habrá recomendado?

—Bah... —rió Einar—. En esta parte de la isla están tan acostumbrados a vivir en condiciones extremas que este camino les debe de parecer una autopista.

Mientras iba pensando que habíamos sido víctimas de una especie de venganza por parte de un grupúsculo de aguerridos salmones, poco partidarios de abandonar sus bravos ríos de montaña para ir a vivir a las plácidas jaulas marinas, llegamos al aeropuerto de Egilsstadir.

—Llevamos una hora de retraso —se quejó Einar—. Habrá que ir de prisa.

Recogimos al abogado de Einar —un hombre con aspecto de abogado, con gafas, corbata y maletín negro— y nos lanzamos a toda velocidad en dirección al otro fiordo que Einar tenía que inspeccionar con vistas a la instalación de otra granja de salmones. Esta vez nos dejamos de experimentos y fuimos por la carretera. Por muchos atajos que hubiera, era mejor no exponerse a una nueva acción de los comandos salmoneros.

## 11

## Fiordos y bacalao

Después de la aventura de las montañas de Öxi, el viaje entró en una fase de lo más monótona: una carretera en perfecto estado, mucha lluvia y muchas nubes. Avanzamos por un valle encajonado hasta llegar a Reydarfjördur, un puerto importante de la Costa Norte, y a partir de allí nos dedicamos a seguir el perfil de unos fiordos que ponían a prueba nuestra paciencia. A un lado estaba el mar, cerrado, gris, duro; al otro, las montañas vestidas de verde con cascadas, niebla, glaciares, elfos, trolls y muy probablemente con atajos como el que habíamos conseguido superar. Al final de la pista, tras varias horas de viaje, llegamos por fin a un fiordo de nombre impronunciable: Fáskrúdsfjördur.

—¡Es aquí! —celebró Einar—. El alcalde nos espera para una reunión. No creo que tardemos mucho. Puedes aprovechar para visitar el pueblo.

Fáskrúdsfjördur era un pueblo precioso y tranquilo. Se levantaba en un rincón del fiordo y, quizá para combatir la monocromía del invierno, tenía varias casas pintadas de colores y el nombre de las calles rotulado en islandés y en francés.

—En el siglo XIX venían aquí muchos pescadores franceses —me explicaron en el bar del pueblo, decorado con fotos de la época—. Aún mantenemos vivo el recuerdo.

—¿Y qué venían a hacer?

—Pescaban bacalao. Entre la segunda mitad del XIX y 1914, en temporada alta llegó a haber hasta cinco mil pescadores franceses en Fáskrúdsfjördur. Algunos se casaron con muchachas islandesas y se quedaron aquí para siempre. Los franceses construyeron un hospital y una capilla y durante un tiempo había aquí un consulado francés.

Me aconsejaron que me acercara al cementerio francés y así lo hice. Estaba situado en las afueras del pueblo, en medio de un prado verde cercado con una valla de madera, a pocos metros de las aguas del fiordo. En el centro había una gran cruz blanca y en la cincuentena de tumbas podían leerse los nombres de pescadores franceses. Un poco más allá, en un puerto discreto, unos cuantos pesqueros permanecían amarrados.

La fiebre del bacalao continúa viva en Islandia, aunque ahora está reservada exclusivamente a la flota islandesa. ¿Qué sería de Islandia sin el bacalao? Me temo que muy poca cosa. De hecho, hay pocos países en el mundo tan dependientes de la pesca como Islandia. Según las estadísticas, ésta supone el 14,3% del Producto Nacional Bruto y el 70% de las exportaciones; lo que se traduce en unos diez mil millones de euros anuales. No es extraño, por tanto, que en España y en muchos otros países se asocie a Islandia con el bacalao.

Un anuncio antiguo aseguraba que «hay mucho que hablar del bacalao». Y, a pesar de que no siempre hay que fiarse de la publicidad, en este caso es cierto. Según las enciclopedias, el bacalao es un pez que vive en las aguas frías y poco saladas del norte, se reproduce muy de prisa, puede alcanzar el metro y medio de largo y es fácil de capturar, ya que nada con la boca abierta para comer todo lo que encuentra. Bajo el nombre de bacalao existen diez familias de peces y más de doscientas especies diferentes. Su valor nutricional es alto —tiene sólo un 0,3% de grasas y un 1,8% de proteínas— y cuando se seca, la concentración de proteínas alcanza al 80%.

El secreto del bacalao viene de antiguo. El norteamericano Mark Kurlansky ha llegado a afirmar en su interesante y documentado libro *El bacalao* que fue «un pez que cambió el mundo». No le falta razón. De hecho, si los islandeses pudieron aventurarse a navegar a Groenlandia y a América fue porque aprendieron a secar el bacalao. «El bacalao carece de grasa prácticamente y, por tanto, si se salaba y secaba como es debido, rara vez se estropeaba —escribe Kurlansky—. Duraba más que la ballena, que es carne roja, y que el arenque, un pescado graso que, salado, se hizo popular en los países del norte durante la Edad Media.»

Los pescadores vascos y franceses llegaron hasta las aguas de Islandia en siglos pasados en busca del preciado bacalao y se hicieron ricos gracias en parte a la abstinencia impuesta por la Iglesia, que obligaba a comer pescado los viernes. Los vascos, además, aprendieron a salarlo, con lo que consiguieron que se conservara todavía más.

En los últimos años, la pesca del bacalao ha experimentado grandes cambios en Islandia, donde, hasta principios de siglo XX, todavía se pescaba con barcas a remos. Tras la Segunda Guerra Mundial, sin embargo, llegaron las innovaciones: barcos de gran potencia, redes de arrastre y plantas de congelación. Como resultado, la pesca del bacalao fue en aumento y los barcos factoría crecieron hasta alcanzar los 150 metros de eslora, con capacidad para más de 4.000 toneladas.

Durante seis años, a raíz de la Segunda Guerra Mundial, Islandia se convirtió en la única nación pesquera de importancia en la Europa septentrional, lo que contribuyó decisivamente a su despegue económico. Cuando terminó la guerra, Islandia era otro país, pero la gallina de los huevos de oro amenazó con dejar de producir, ya que se llegó a la sobreexplotación. Para proteger su «tesoro», el Gobierno islandés decidió en 1952 ampliar sus aguas territoriales de tres a cuatro millas de la costa. En 1958, el límite pasó a doce millas; en 1972, a cincuenta; y en 1975, a doscientas millas. Sin embargo, no fue una decisión fácil. Las guerras del bacalao, las únicas guerras libradas por este país sin ejército, quedan como testimonio de aquellos duros años en los que Islandia luchaba por proteger su pesca frente a los intereses de las flotas extranjeras. En 1958 estalló la Primera Guerra del Bacalao; en 1972, la segunda y en 1975, la tercera. El enemigo era siempre el mismo: Gran Bretaña, país poco dispuesto a renunciar a los ricos caladeros del norte. La primera de las guerras duró tres años, hasta que se alcanzó un compromiso en 1961. Islandia, con sólo siete guardacostas, salió victoriosa en varias escaramuzas contra la poderosa armada británica, que ejercía funciones de protección de sus pesqueros.

En la Segunda Guerra del Bacalao, los islandeses utilizaron con éxito la táctica de cortar las redes de los pesqueros británicos. En enero de 1973, sin embargo, hubo una especie de intermedio motivado por la erupción del volcán Heeimaey. Los guardacostas islandeses tuvieron que desplazarse para evacuar a los isleños y la guerra quedó en suspenso. Son cosas que pasan en Islandia.

La Tercera Guerra del Bacalao, iniciada en 1975, acabó con una serie de conversaciones que en 1976 dieron la razón a Islandia. En el fondo, el hecho de pertenecer a la OTAN jugaba a favor de Islandia, ya que esta organización no estaba dispuesta a perder un aliado tan valioso.

Como resultado de aquellas guerras libradas con honor y sin víctimas, Islandia dispone de doscientas millas de aguas territoriales, lo que supone un total de 758.000 kilómetros cuadrados. Es decir, una superficie 7,5 veces mayor que la de Islandia y casi el doble que la del mar Báltico.

No hubo muertos en las guerras del bacalao, pero sí algunos héroes. El más destacado fue Thröstur Sigtryggsson, capitán del guardacostas *Aegir*. En la noche de fin de año de 1975, el *Aegir* se refugió en un fiordo para despistar a una fragata británica que le perseguía. Aprovechando la oscuridad de la noche y una fuerte nevada, el *Aegir* salió con las luces apagadas del fiordo, burló la vigilancia de la fragata y logró cortar las redes de tres pesqueros británicos.

Las hazañas del *Aegir* y su famoso capitán todavía se recuerdan hoy como grandes episodios nacionales, de los que siempre está necesitado un país joven. A falta de grandes batallas, a los niños en las escuelas se les habla de la gloria literaria de las sagas y de las recientes Guerras del Bacalao, en las que Islandia salió victoriosa frente a la Pérfida Albión.

Esperé frente al Ayuntamiento de Fáskrúdsfjördur a que terminara la reunión de Einar y su abogado con el alcalde. Si todo salía bien, dentro de unos años habría en aquel fiordo una granja de salmones, llena de peces cautivos. Las aventuras de los pescadores franceses, toda la épica de la pesca del bacalao, quedarían muy atrás, guardadas en una memoria que se iría desvaneciendo como la niebla. Eran, sin duda, otros tiempos, menos gloriosos, pero también más productivos.

Cuando por fin acabó la reunión, nos apresuramos a regresar al aeropuerto de Egilsstadir. De nuevo la misma carretera, el mismo ejercicio de paciencia extrema para desandar lo andado. Para una reunión de media hora habíamos hecho más de doscientos kilómetros de ida, incluyendo el duro atajo de la montaña, y nos esperaban otros tantos de vuelta.

—Quizás es mejor que esta vez no vayamos por el atajo —comentó Einar tras dejar al abogado en el aeropuerto—. Ya hemos demostrado que somos lo suficientemente valientes para cruzarlo, pero sería una temeridad volver a intentarlo.

Estuve de acuerdo con él y, como guerreros prudentes, volvimos por la carretera principal. Cruzamos la montaña por una pista en buenas condiciones y, una vez junto al mar, reemprendimos el aburrido ejercicio de entrar y salir por unos fiordos que parecían cada vez más largos y más angostos. A las once de la noche, cuando por fin llegamos a Djúpivogur, una luz sesgada entraba por el fondo del fiordo y teñía de un suave tono dorado el atajo por donde nos habíamos aventurado horas atrás. Era como si el resplandor naciera justo en aquellas montañas revestidas de un toque mágico que invitaba a imaginar todo tipo de aventuras y leyendas. Al pasar junto a la capilla de los elfos, en la última curva antes de entrar en el pueblo, me pareció oír las risotadas de una colonia de seres ocultos. Cuando me giré, sin embargo, no había nadie: sólo rocas, hierba y un silencio inquietante.

## 12

## Caballos escapados de las sagas

Estábamos desayunando en el hotel de Djúpivogur, mentalizados para iniciar cuanto antes el regreso a Reykiavik, cuando ante un mapa de Islandia se me ocurrió preguntarle a Einar si nos llevaría mucho más tiempo regresar por la Costa Oeste en vez de por la Costa Este. Ya puestos, ¿por qué no dar la vuelta a la isla? Einar estudió el mapa a fondo, murmuró que supondría hacer doscientos kilómetros más, pero acabó por concederme el capricho.

—Daremos la vuelta a Islandia para que puedas ver todo el país en un solo viaje —afirmó con una sonrisa—. Hay autocares de turistas que suelen hacerlo, pero te aseguro que serás el único extranjero que dará la vuelta a la isla durmiendo dos noches seguidas en un lugar tan original como Djúpivogur.

Subimos al coche que en los últimos días se había convertido en nuestra segunda piel y nos lanzamos de nuevo a aquella carretera que ya casi nos sabíamos de memoria. Una vez en Egilsstadir,

Einar consultó el reloj con gesto nervioso y optó por desviarse hacia un lugar llamado Fljótsdalur.

—Me gustaría estar en Reykiavik antes de medianoche —murmuró—, pero vale la pena que conozcas este valle.

El valle era precioso: alargado y con suaves pendientes vestidas de verde que convergían en un lago alargado llamado Lögurinn. Allí, según la gente del lugar, habitaba la versión islandesa del monstruo del lago Ness.

—Nadie lo ha visto nunca —me informó Einar—, pero todos dan por hecho que vive en el fondo del lago. Es algo así como el hermano mayor de nuestros queridos elfos... El problema es que no atrae a tantos turistas como el del lago Ness.

Vimos cascadas, torrentes impetuosos, puentes maltrechos, el único bosque de Islandia (¡con árboles de verdad!) y granjas aisladas, pero ni rastro del monstruo. Tras muchos kilómetros, sin embargo, apareció algo distinto: Skriduklaustur, una enorme casa de piedra, construida en forma de ele y con el tejado recubierto de césped. Su arquitectura, del tipo *kolossal*, era más alemana que islandesa.

—Es la granja del escritor Gunnar Gunnarsson —me explicó Einar.

Hacía frío y nos apresuramos a entrar en la granja por una puerta lateral. Una vez en el interior, una chica en funciones de guía nos enseñó habitaciones y más habitaciones, un comedor desangelado y una zona noble con retratos de aquel escritor nacido en Islandia en 1889.

—Gunnar Gunnarsson se fue a vivir a Dinamarca de muy joven y escribió en danés. Sus novelas fueron traducidas al alemán y tuvieron mucho éxito en los años treinta —nos explicó la guía con voz monótona—. En 1938, sin embargo, decidió regresar a su país, tradujo sus novelas al islandés y se hizo construir esta granja en su valle natal por un arquitecto alemán. Pretendía demostrar que en Islandia podían funcionar granjas tan grandes como las alemanas. Lo hizo todo artesanalmente, en tan sólo ocho meses. Las circunstancias, sin embargo, no le fueron favorables.

—¿A qué te refieres? —pregunté, intrigado.

—El desastre financiero que siguió a la Segunda Guerra Mundial abortó el proyecto. A su esposa, por otra parte, no le probaba el clima de esta parte del país. Al final, en 1948 Gunnar Gunnarsson decidió trasladarse a Reykiavik.

—¿Y qué hacen ahora con la granja?

—Se utiliza para congresos y para talleres de escritura. Es un lugar muy tranquilo.

La chica nos mostró la otra ala de la granja: más habitaciones, más puertas que se abrían y se cerraban, más ventanas... De repente, tuve la sensación de estar en un hotel como el imaginado por Stephen King en *El resplandor*. En cualquier instante podía asomar tras una puerta el rostro infernal de Jack Nicholson...

Había quien decía que aquella granja aislada había sido construida por uno de los arquitectos de Hitler, pero la chica nos lo desmintió. En cualquier caso, la posible conexión nazi es algo que prefiere silenciarse en Islandia, es como un tabú sobre el que todos pasan de puntillas.

—En 1955, cuando le dieron el premio Nobel a Halldór Laxness, se dijo que los académicos suecos dudaban entre él y Gunnar Gunnarsson —me contó Einar cuando salimos de la casa—. Sin embargo, parece que pesó en su contra el hecho de haber vivido en la Alemania de Hitler, con el que se encontró en alguna ocasión.

—¿Se lee todavía a Gunnar Gunnarsson?

—Sólo lo hacen algunos académicos. A Laxness, en cambio, se le continúa leyendo.

Recordé que, en efecto, había leído tiempo atrás que el escritor mexicano Juan Rulfo, el autor de *Pedro Páramo*, era un admirador de Laxness. Las descripciones del autor islandés, que hablaban de lugares desolados y de gente que lucha contra un medio hostil, habían encontrado un lejano eco literario en los páramos de Centroamérica.

Al abandonar la casa, sentí que me dominaba una extraña sensación, como si incluso antes de estar allí ya conociera a Gunnar Gunnarsson. Einar se rió cuando se lo dije.

—Te estás volviendo islandés —me dijo sin dejar de reír—. Ya empiezas a creer en los espíritus.

—Ríete si quieres —insistí—, pero me noto raro.

—¿Sabes dónde vives en Reykiavik? —me preguntó con una sonrisa de pícaro.

—Claro que lo sé —dije, orgulloso de mi casa de la capital—: en la Gunnarshús, la Casa Gunnar.

—Exacto —acentuó la sonrisa—. Ahí es donde fue a vivir Gunnar Gunnarsson cuando abandonó la granja...

Me quedé un rato pensativo. ¿Sería cierto que me estaba contagiando de la creencia en los espíritus de algunos islandeses? ¿Había entrado en contacto con el fantasma de Gunnar Gunnarsson? Preferí dejarlo correr antes de empezar a ver cosas demasiado raras.

—Los escritores islandeses siempre han sido muy originales —comentó Einar de improviso—. A Gunnar Gunnarsson le dio por construir esta granja imposible y Halldór Laxness, que era comunista, se paseaba por la isla con un descapotable americano. ¿Te acuerdas de Einar Benediktsson?

—El del fantasma —dije recordando la casa embrujada de Reykiavik.

—El mismo. Era un tipo curioso. Además de escribir poesía, lideró varias iniciativas para traer el progreso a Islandia. Tenía un gran espíritu empresarial y hasta se cuenta que llegó a vender la aurora boreal a un norteamericano.

—¡¿La aurora boreal?! —repetí, fascinado. Siempre había tenido la ilusión de ver una aurora boreal. Había leído libros que hablaban de ella, y había visto fotos de colores increíbles, pero quienes la habían visto juraban que en directo era mil veces mejor.

—Supongo que es una leyenda —continuó Einar—, pero tratándose de norteamericanos, no me extrañaría en absoluto.

—¿Has visto alguna vez la aurora boreal? —le pregunté.

—Claro —se echó a reír—. Miles de veces. En invierno es habitual verla en Islandia.

—¿Y cómo es?

—Las hay de varios modelos —dijo como si fuera un vulgar vendedor de telas exhibiendo su catálogo—. Normalmente es una especie de luz verde que baila en el cielo.

—Me encantaría verla —suspiré. Me gustaba cómo sonaba aquella descripción: «Una luz verde que baila en el cielo».

—Pues si quieres verla tendrás que volver en invierno. Se ve cuando la noche es despejada, muy oscura y muy fría. En verano, con el sol de medianoche, no hay manera de verla.

Me fijé en que el cielo seguía cubierto de nubes. ¿Tendría que regresar en invierno? En aquel momento lo veía harto improbable. Había acudido a Islandia para terminar una novela sobre Zanzíbar y, a pesar de que ésta avanzaba más lentamente de lo previsto, dudaba mucho de que algún día volviera a la isla.

Unos kilómetros después, en una zona poblada de caballos y cerca de una granja llamada Hrafnkelsstadir, volvió a asaltarnos el espíritu de las sagas. En esta ocasión era la *Saga de Hrafnkell* la que llamaba a la puerta.

—Aquí se refugió Hrafnkell cuando fue expulsado de su granja de Adalból —me explicó Einar como si hablara de un hecho reciente.

Me invadió de nuevo esa extraña sensación que produce comprobar cómo las casas y paisajes descritos en las sagas casi mil años atrás continúan inalterados. Según un estudio reciente, en el año 1100 había en toda Islandia unas 4.560 granjas;

hoy la cifra es de 4.500, a la que hay que añadir unos sesenta pueblos y ciudades. La conclusión es obvia: las cosas no han cambiado tanto en este lejano país.

La *Saga de Hrafnkell* es una de las preferidas de los islandeses. En ella se cuenta la historia de Hrafnkell, un sacerdote que levantó un templo al dios Freyr en su granja de Adalból, en Hrafnkelsdalur. Hrafnkell tenía un caballo llamado *Freyfaxi*, al que quería con locura, y juró ante los dioses que mataría a cualquiera que lo montara sin su permiso. Uno de sus pastores lo hizo y Hrafnkell, fiel a su promesa, lo mató. Después intentó compensar económicamente al padre, pero éste se negó y Hrafnkell fue condenado al exilio. Aunque en un principio se resistió a abandonar sus tierras, un primo del muerto, Sámur, lo torturó hasta que el hombre aceptó marcharse de la comarca. Su templo fue destruido y su caballo fue lanzado al río cargado de piedras para que se ahogara. Convencido de que su dios le había abandonado, Hrafnkell renunció a sus creencias y se instaló en una granja que llamó Hrafnkelsstadir. Allí se convirtió en un granjero más y trabajó tanto que se hizo rico. Un día, Sámur y Eyvindur, los primos del pastor a quien Hrafnkell había dado muerte, pasaron por su granja de camino hacia Adalból. Instigado por su hija, Hrafnkell decidió vengarse. Dio muerte a uno de ellos e hirió al otro. Poco después, recuperó su granja de Adalból, donde fue feliz para siempre.

No les falta razón a quienes consideran las sagas como una especie de *westerns* medievales. En la de Hrafnkell, de hecho, están casi todos los ingredientes necesarios, aunque también hay quien ve ecos de tragedia griega en este sangriento juego con el destino. En cualquier caso, muchas generaciones después, los caballos de la granja de Hrafnkelsstadir parecían totalmente ajenos a aquellas tragedias de pasiones desatadas.

—¡Maldita sea! —exclamó Einar, aterrizando de nuevo en el siglo XXI—. Se está haciendo tarde.

Volvimos a la carretera a toda velocidad. A diferencia de lo que debía de suceder mil años atrás, el tiempo nos tenía esclavizados. Teníamos que ir de prisa hacia Reykiavik, sin demasiado tiempo para pensar en las sagas.

## 13

# Volcanes, astronautas, dioses y Björk

Teníamos que cruzar parte de la isla por el interior —más de 200 kilómetros nos separaban del lago Mývatn— y, de repente, el panorama se hizo más abrupto, más desolado, más volcánico. Era como si el paisaje hubiera pasado a expresarse en blanco y negro. La pista de tierra hendía en dos un valle lleno de piedras y rocas negras, sin apenas vegetación, por el que circulaban escasos coches. A ambos lados, la nada: sólo al fondo, hacia el este, se intuía una amalgama confusa de montañas, volcanes, glaciares y niebla que semejaba una caldera hirviendo en el corazón de la isla.

Cuando en 1965 la NASA buscó un sitio parecido a la Luna para entrenar a los astronautas del proyecto Apolo, eligió Islandia, y más en concreto la zona de Askja, una gran caldera volcánica del centro de la isla que no quedaba muy lejos de donde nos encontrábamos. A su alrededor se extiende el mayor campo de lava del mundo, que ocupa una superficie de 4.500 kilómetros cuadrados. El lugar es tan inhóspito que el vulcanólogo Gudmundur

E. Sigvaldson manifestó en cierta ocasión: «Askja es un lugar muy primitivo. Es el inicio de todo... O el fin».

En las sagas se habla poco de los volcanes. La referencia más clara se encuentra en una referencia a los debates que se hicieron en Thingvellir hacia el año 1000 para determinar la adopción de la fe cristiana. En medio de la reunión llega un mensajero para informar que una erupción está destruyendo la granja de uno de los jefes. Los paganos lo acogen como una mala señal y murmuran que los dioses se han encolerizado ante los discursos de la asamblea. Uno de los personajes, sin embargo, les contesta diciendo: «Si eso es cierto, ¿por qué estaban encolerizados los dioses cuando la lava sobre la que nos encontramos ahora estaba ardiendo?».

Con sagas o sin ellas, durante este tramo del viaje tuve más que nunca la sensación de que en Islandia los volcanes están por todas partes. Hay más de doscientos en toda la isla y de ellos ha salido, en los últimos quinientos años, un tercio de la lava de todo el mundo. Cada cinco años, más o menos, suele haber una erupción, por lo que los islandeses se han acostumbrado a convivir con ellos. Al Hekla, el volcán más importante de la isla, se le conoció durante mucho tiempo como la Puerta del Infierno y sólo en 1750, cuando dos estudiantes daneses coronaron la cima sin problemas, empezaron los islandeses a pensar que quizá la montaña no era tan maligna. El peor momento de la isla llegó en el siglo XVIII, cuando el volcán

Laki entró en erupción y el rey de Dinamarca llegó a plantearse la evacuación total de la isla. Y es que, además del gran campo de lava surgido del volcán, el aire quedó contaminado por una nube tóxica que diezmó el ganado y obligó a los granjeros a abandonar sus tierras. Tras la erupción del Askja, en 1875, fueron muchos los granjeros que optaron por emigrar a Estados Unidos.

En términos de geología, Islandia es un país joven, de tan sólo unos cien millones de años. Según los geólogos, todo se remonta a cuando el conglomerado Eurasia-América se rompió, dando origen a continentes separados. Este desplazamiento creó la Cordillera del Atlántico Medio y una erupción volcánica en esta cadena submarina formó lo que ahora se conoce como Islandia.

Por si faltara alguna emoción a este cóctel geológico, conviene recordar que en Islandia, además de las erupciones volcánicas, también son frecuentes los terremotos. Los dos peores ocurrieron en los años 1784 y 1896. Fueron de una magnitud de siete grados en la escala de Richter y, según cuentan las crónicas, la tierra tembló sin interrupción durante más de diez días, destruyendo decenas de granjas. El último terremoto importante de Islandia fue en el 2000: no hubo víctimas, aunque sí importantes destrozos materiales.

—¿No os inquieta vivir en un país donde en cualquier momento puede haber una erupción volcánica o un terremoto? —le pregunté a Einar mientras me llenaba los ojos de aquel paisaje volcánico.

—Al contrario —replicó—, yo diría que nos hace sentir más alerta. El hecho de vivir en Islandia contagia una energía especial, ya que sientes que la tierra está viva. En 1967, por ejemplo, una erupción frente a la Costa Sur provocó el nacimiento de una nueva isla, la de Surtsey. Esto demuestra que las erupciones también pueden ser fuerzas positivas.

Durante muchos años se consideró que Islandia se dividía en dos partes: la habitable, en la costa; y la inhabitable, en el interior. Todavía hoy casi todas las poblaciones islandesas se concentran en la costa. El interior queda sólo para las excursiones de turistas en busca de emociones extremas.

Para romper la monotonía, Einar puso en marcha la radio del coche y sonó la voz inconfundible de Björk. Cantaba una canción en la que comparaba los orgasmos con las erupciones volcánicas. No me sorprendió. De hecho, debía de ser una metáfora muy corriente en Islandia. Al fin y al cabo, a la que te das una vuelta por el país empiezas a ver volcanes por todas partes.

—Björk ha sido siempre una chica rara —comentó Einar ladeando la cabeza—. Quería ser famosa y lo ha conseguido.

—¿La conoces? —le pregunté.

—Es más joven que yo, pero la recuerdo del instituto. Era de ésas que se cepillan los dientes en la cola para llamar la atención... Al final consiguió que se fijaran en ella, pero Islandia se le quedó pequeña.

Aunque reside en Nueva York desde hace unos años, Björk siempre será una cantante cien por cien islandesa. Ella misma ha contado que vivir en la isla la ha marcado profundamente. «Todo cambió cuando salí al exterior a los 27 años y vi que las vidas de la gente en el mundo son muy diferentes —manifestó en cierta ocasión—. Pero es que en Islandia no hay casi sucesos, ni violencia, ni ejército. Es un lugar diferente en el mundo.» Y en otro momento señaló: «Islandia anima mi intuición, las raíces, las cosas que me han sucedido por dentro. Mientras que fuera de Islandia todo se basa más en la acción, en la parte más lógica que hay en mí».

Viajábamos con Einar como autómatas, avanzando por rectas infinitas bajo el extraño influjo de la música de Björk. Fueron más de dos horas de desierto casi sin atributos —tierra negra, rocas, lluvia y niebla—, hasta que vimos de lejos unas fumarolas que surgían de una montaña teñida de un increíble color amarillo.

—Ya estamos en Námafjall —proclamó Einar.

A Einar le parecía normal aquel paisaje, pero no opinaba lo mismo un grupo de alemanes recién bajados del autocar que ametrallaban las fumarolas con sus cámaras automáticas. Un humo misterioso emanaba del suelo en una ladera de la montaña y en unos charcos negruzcos hervía una agua sulfurosa que apestaba a mil demonios. De nuevo tenía la sensación de estar fuera de este mundo y de que las brujas de Macbeth no tardarían en aparecer.

—¿Es seguro este lugar? —le pregunté a Einar, temiendo que el suelo fuera a estallar de un momento a otro.

—Claro —me miró como si hubiera hecho una pregunta estúpida—, aunque ya te habrás dado cuenta de que este lado de la isla es más volcánico.

No había que ser un lince para percatarse. Unos kilómetros más adelante, Einar se desvío hacia un sitio llamado Grjótagjá, unas cuevas que contenían unos lagos subterráneos de agua caliente en los que, según recordaba, él se bañaba de pequeño. Cuando llegamos a las cuevas, sin embargo, nos esperaba una desagradable sorpresa. Un cartel indicaba que el agua estaba a más de cincuenta grados y que, por lo tanto, estaba terminantemente prohibido bañarse... a menos que uno quisiera acabar como una salchicha bien cocida.

—Hace un par de años que ya no es posible bañarse aquí —nos informó un guarda—. La última actividad volcánica hizo que aumentara la temperatura del agua.

—Todo el subsuelo parece una caldera hirviendo... —pensé en voz alta.

—Ni que lo digas —sonrió el guarda, como si lo encontrara la mar de divertido—. Los campesinos dejaron de plantar patatas en esta zona porque las sacaban hervidas, y no es ningún chiste.

Una tierra que daba patatas hervidas... Por si quedaba alguna duda, aquélla era la confirmación de que Islandia es un país distinto a cualquier otro.

Nos encaramamos en lo alto de las rocas y desde allí pudimos ver una inmensa grieta que partía el paisaje como si el mismo dios Tor lo hubiera herido con una espada gigante. A pesar de la frustración de quedarnos sin baño, era evidente que aquel lugar desprendía un magnetismo especial. Una sucesión de fumarolas humeaban a lo lejos, en medio de una tierra teñida de distintos colores. La explicación lógica era que, debido a la erupción volcánica, la tierra se había agrietado para que pudiera escapar el vapor de agua caliente, pero aquel paisaje pedía a gritos una historia épica, con guerreros vikingos, dioses enfurecidos y un coro de valquirias, elfos y trolls.

Me alejé de allí con la sensación de que todo podía estallar en cualquier momento. De hecho, si la temperatura del agua subterránea había subido unos grados en pocos años, ¿quién podía asegurar que no iría subiendo progresivamente hasta el estallido final? Einar, sin embargo, conducía silbando, sin ápice de preocupación.

Diez minutos más tarde llegamos al lago Mývatn, la cara más amable del paisaje volcánico: un lago de aguas tranquilas rodeado de hierba verde y campos de lava. En medio del lago, unas cuantas islas —rebosantes de verde— daban a aquel lugar el tono de una delicada acuarela japonesa.

—Es precioso, sí —admitió Einar—, pero vamos mal de tiempo.

Dejamos atrás el lago, pues, y avanzamos por un valle con granjas cada vez más frecuentes y con un sol que pugnaba por asomarse entre nubes compactas. Nuestra siguiente parada fue en Godafoss, que significa literalmente «Cascadas de los Dioses».

—Se llaman así porque, según la leyenda, los islandeses lanzaron por ellas sus dioses paganos cuando abrazaron el cristianismo en el año 1000 —me explicó Einar.

Las cascadas eran preciosas, como una especie de Niágara de bolsillo, con un caudal enorme y saltos a distintos niveles. Sin esforzarse demasiado, uno podía sentir los ecos de los dioses paganos Tor y Odín.

La poesía *eddica*, anterior a las sagas, permite una excelente inmersión en la mitología y en la cosmogonía vikingas. De hecho, dos obras importantes de la antigua literatura islandesa llevan el nombre de Edda. Las dos son muy distintas: mientras la *Edda Menor* o *Edda en Prosa* es una especie de manual de técnica de la poesía escáldica escrito en 1220 por Snorri Stúrluson, la *Edda Mayor* o *Edda en Verso* es un conjunto de cantos procedentes de la poesía popular cuyo origen se remonta a los tiempos de las migraciones germánicas.

La *Edda Mayor* se inicia con la «Visión de la Adivina». El dios Odín interroga a una adivina sobre el destino de los dioses y de la tierra, y ésta recuerda un tiempo anterior en el que no había «ni arenas ni mar». «No estaba la tierra, ni arriba el cielo, se abría un vacío, hierba no había», dice. La adivina habla de un tiempo remoto en el que «no sabía el sol qué morada tenía, no sabían las estrellas qué puestos tenían, no sabía la luna qué poder tenía». A continuación, ve cómo los dioses, los gigantes y los héroes se congregan y dan nombre a la noche, a la mañana, al mediodía, a la tarde, al crepúsculo... Los dioses hacen con árboles la primera pareja humana y la adivina ve batallas y guerras. «Surgirán entre hermanos luchas y muertes, cercanos parientes discordias tendrán; un tiempo de horrores, de mucho adulterio, de hachas, de espadas —escudos se rajan—, de vientos, de lobos, anuncio será del derrumbe del mundo; todos se matan.» Al final del relato, el dios Tor da muerte a la serpiente que quiere acabar con la tierra y «el sol se oscurece, se sumerge la tierra, saltan del cielo las claras estrellas».

La primera parte de la *Edda Mayor* contiene poemas de asuntos mitológicos en los que Odín, Tor y Loki desempeñan los papeles principales. Uno de ellos se titula *Baldrs draumar* (Los sueños de Baldur) y en ellos vemos cómo Baldur, hijo de Odín y de Frigg, se ve agobiado por unos sueños terribles. Para solucionarlo, Odín monta en su caballo de ocho patas y llega hasta las puertas del infierno, donde un perro ensangrentado le sale al encuentro. Odín despierta a una hechicera muerta y la obliga a interpretar el sueño de su hijo. La hechicera lo hace con una serie de palabras oscuras que permiten distintas interpretaciones.

La segunda parte de la *Edda Mayor* agrupa un conjunto de cantos épicos sobre figuras centrales de la tradición heroica germánica, entre ellos Sigurdur, el Sigfrido de *El Cantar de los Nibelungos*. De lo que no hay duda es de que la mitología vikinga, con los dioses Odín y Tor en primer plano, salta con fuerza desde las páginas de las *Eddas*. El lector se encuentra también con una descripción del mundo y de sus primeros tiempos que emociona por su poesía y por su apego a la naturaleza. En la *Edda Menor* leemos que cuando el hombre fue expulsado del paraíso empezó a fijarse en el paisaje que le rodeaba y pensó: «Las montañas y las rocas imaginaban ellos (los hombres) que eran dientes y vértebras de seres vivos. De todo esto concluyeron que la tierra alentaba y tenía alguna forma de vida, y sabían que era increíblemente vieja en años y muy poderosa, ya que ella alimentaba a todos los seres vivos y a ella volvían también cuanto morían. Por eso le pusieron un nombre y pensaban que descendían de ella».*

Después de leer las *Eddas*, uno pasea por Islandia con una mirada distinta. Está preparado para ver elfos y trolls en cualquier esquina, para adivinar rastros de mitología vikinga en cualquier rincón y para contemplar las montañas como si fueran las vértebras de un inmenso y complejo organismo vivo que amenaza con despertar cualquier día.

El viaje, sin embargo, proseguía. A las cuatro de la tarde llegamos por fin al fiordo de Akureyri. Había salido el sol y todo era mucho más hermoso. Las montañas cubiertas de verde caían casi a plomo sobre aquel mar cerrado y el paisaje tomaba el aspecto de un lago suizo, con el largo fiordo en primer plano y granjas de aspecto alemán diseminadas por las laderas.

* Según la traducción de Luis Lerate. Alianza Editorial, 1984.

Akureyri me pareció precioso, quizá porque llegaba allí tras una paliza de seis horas de coche. La ciudad, situada al final del fiordo, era mucho más pequeña que Reykiavik, pero tenía un conjunto de casas nobles que recordaban los tiempos de la dominación danesa, cuando el puerto había jugado un papel importante para el comercio de la isla.

Einar no se lo pensó dos veces. Se dirigió hacia las piscinas municipales, aparcó justo enfrente y sacó dos entradas. Nos cambiamos de prisa, siempre pendientes del reloj, y empezamos sumergiéndonos en un jacuzzi lleno de gente. Un minuto después, nos metíamos en una especie de caldera, con el agua a cuarenta grados, donde me sentí como un huevo puesto a cocer. Insoportable, aunque mis vecinos de cocción ponían cara de estar en el séptimo cielo.

—Esto nos dejará como nuevos —murmuró Einar.

—¿Estás seguro? —pregunté con voz vacilante.

Sin siquiera responderme, Einar saltó a la siguiente caldera. El agua allí estaba todavía más caliente, a cuarenta y tres grados.

—Un poco demasiado caliente para mi gusto —murmuré.

Einar me ignoró de nuevo y, de un salto, se metió en el baño de vapor, donde, tras un par de minutos, salimos sudando a chorros.

—Ahora, un baño de agua fría y ya está —proclamó.

Salí de la piscina con el cuerpo baqueteado y los poros abiertos como ventanas en pleno verano (mediterráneo, por supuesto). Nos cambiamos en un santiamén, compramos bocadillos y bebidas y regresamos al coche con la sensación de que no podíamos perder ni un minuto.

—¡Y ahora, directos a Reykiavik! —proclamó Einar, eufórico, como si le hubieran puesto pilas nuevas.

Björk, desde la radio, nos obsequió con una de sus canciones más lacerantes. De pronto, todo había adquirido una consistencia irreal. Islandia era como un país imaginario y yo me sentía flotando en una nube.

## 14

## Un *cowboy* islandés

Los cuatrocientos kilómetros que separan Akureyri de Reykiavik los hicimos prácticamente de un tirón, parando lo justo para poner gasolina. Los valles verdes y alargados, siempre con un exceso de agua, se sucedían unos a otros como un carrusel de imágenes de postal: con granjas aisladas, caballos, vacas y corderos que pacían tranquilamente bajo unas nubes que se negaban a retirarse.

Cuando uno viaja por Islandia tiene la impresión de que lo que más abunda son los caballos, pero las siempre fieles estadísticas oficiales indican que en 1999 había en el país 490.002 ovejas, 78.400 caballos, 75.500 vacas y 3.987 cerdos. La ganadería, sin embargo, no tiene nada que hacer frente a la pesca y a la industria, ya que representa sólo un 1,5% del total del país. En cuanto a la agricultura, el heno tiene mayoría absoluta, con más de tres millones de metros cúbicos anuales; en segundo lugar, muy lejos, vienen los cultivos de patatas, con un total de 11.544 toneladas. Entrados en el terreno de las cifras, vale la pena recordar que Islandia es el undécimo país más rico del mundo, que tiene el récord de conexiones a Internet por habitante y que por cada mil personas hay 543 coches y 618 teléfonos móviles.

Al pasar cerca de la ciudad de Saudarkrókur, Einar me explicó que era la capital de la música *country* islandesa. No podíamos desviarnos, claro está, pero me apuntó que en agosto se celebraba allí un festival con canciones que hablaban de guitarras, de caballos y de cowboys. Me imaginé un típico *saloon* del Oeste, con hombres con sombrero y botas con espuelas y mujeres con vestidos de cuadros bailando al ritmo monótono de la música *country*. Mientras, Einar rebuscó entre sus casetes hasta dar con uno de un grupo llamado Spilverk Thjódanna. Lo introdujo en el aparato y no tardó en sonar una canción de inequívoco sabor *country*. La letra, en inglés, decía:

*I'm an Icelandic cowboy*
*on my Icelandic pony*
*I travel around in the West*
*I know all the ways*
*Around Snaefellsnes*
*'cause that's where my baby stays.*

*I've been to the East*
*I've been to the West*
*I've been to the North and the South*
*Once I met there*
*An old polar bear*
*But I found out he had a big mouth*

*That's why I'm singing for you*
*Forgotten cowboys*
*Come to Iceland*
*'cause it's a nice land*
*You can shake the shepherd's hand*

*And if you come to Iceland*
*You can join the local band.**

Era una canción alegre que se burlaba de los tópicos del pretendido *country* islandés, pero que de algún modo recogía el espíritu de la isla, sobre todo el de aquel paisaje que quedaba lejos del cosmopolitismo de Reykiavik. Era, en el fondo, el espíritu de los viejos *cowboys*, de una tierra de frontera donde no es fácil abrirse camino. Era, de hecho, el mismo espíritu que había caracterizado a los personajes de las viejas sagas.

Por la radio sonó una música muy años sesenta que Einar identificó de inmediato con un grupo llamado Hljómar.

—¡Son los Beatles islandeses! —celebró—. Aquí somos a veces un poco miméticos. Cuando

* «Soy un vaquero islandés / en mi poni islandés / Viajo por el Oeste / Me sé todos los caminos de Snaefellsnes / porque allí es donde está mi amor. / He estado por el Este / y también por el Oeste / He estado en el Norte y en el Sur. / Allí me encontré un día con un oso polar / y vi que tenía una boca muy grande. / Por eso canto para vosotros, / vaqueros olvidados. / Venid a Islandia / porque Islandia es un bello país. / Podéis estrechar la mano de un pastor / y si venís a Islandia / os podéis unir a la banda local.»

Hljómar triunfó les dio por llamar a Keflavík, su ciudad natal, el Liverpool islandés. En los setenta, allí todos tocaban música e iban con el pelo largo.

Para corroborar el mimetismo de que hablaba Einar, a los Beatles islandeses les sucedió en la radio una canción de un tal Hankur Morthens. En la carátula se le veía con un aire retro y un bigotito recortado.

—¡Es el Frank Sinatra islandés! —comentó Einar—. Fue muy famoso durante una época.

Por lo visto, todos los fenómenos musicales a nivel mundial tenían un equivalente local en Islandia. Por suerte, la aparición de Björk y de grupos como Sigur Rós hacía que también se valoraran los sonidos auténticos y personales, no sólo las imitaciones.

Ignoramos el desvío hacia los fiordos del Oeste, donde se localizan tantos episodios de las sagas, y también el que conducía a la península de Snaefellsnes. Aquél era un viaje relámpago y no quedaba tiempo para hacer el turista. El escenario de las sagas tendría que quedar para más adelante. Tras cruzar la ciudad de Akranes, cruzamos el fiordo por debajo de un túnel de cinco kilómetros de longitud. La carretera bajaba por una pronunciada pendiente hasta alcanzar un nivel inferior al del fondo marítimo, por lo que daba la impresión de que nos dirigíamos directamente hacia el corazón de la Tierra.

—Snaefellsjökull, el volcán de Julio Verne, no queda lejos de aquí —comentó Einar cuando se lo dije—. Quién sabe... quizás es cierto que vamos hacia el centro de la Tierra.

Tras unos minutos de angustia, sin embargo, el túnel inició la subida y desembocamos al otro lado del fiordo, muy cerca ya de Reykiavik. Justo cuando entramos en la ciudad, hacia medianoche, salió el sol que tan esquivo se había mostrado a lo largo de todo el viaje. Era el regreso a algo que podía llamar mi casa.

Antes de retirarnos a dormir, Einar propuso ir a beber una cerveza para celebrar el final del viaje. Fuimos al Kaffibarinn y allí, en aquel ambiente digno de los buscadores de oro de Alaska, tomamos una Thule para celebrar que habíamos salido victoriosos de nuestro largo circuito vikingo, de nuestro descenso a las profundidades de la isla.

—Bueno... —me preguntó Einar tras tomar el primer sorbo—. Dime, ¿qué te ha parecido Islandia?

No pude evitar soltar una carcajada. ¿Lo estaba preguntando en serio? Había llovido durante casi todo el viaje y apenas si habíamos salido del coche. Lo nuestro había sido como uno de esos locos récords Guiness en los que lo importante no es disfrutar el momento, sino llegar cuanto antes.

—La verdad es que ha sido lo más parecido a permanecer un par de días en un túnel de lavado —le dije riendo.

Einar me dio una palmada en la espalda.

—Lo importante es coger el *feeling* del país —me dijo, convencido—, y esto seguro que lo has hecho. Para captar la esencia de Islandia no hay nada como dar una vuelta a la isla pasando dos noches seguidas en un lugar tan improbable como Djúpivogur.

—Ha valido la pena... —concedí—, pero no me habría importado ver algo más de los fabulosos paisajes de la isla.

—Ah, eso... —Einar apartó mi objeción con un gesto seco de la mano derecha—. Si lo que te interesa es el paisaje, mañana compraremos un libro ilustrado, de esos con fotos panorámicas tomadas en los pocos días soleados que se permite el país.

Nos bebimos la cerveza y reímos recordando algunas anécdotas del viaje, sobre todo las de nuestro aventurado atajo por la montaña. Después Einar se apresuró a volver junto a su mujer y a su hija.

Cuando regresé a casa, eché una ojeada por la ventana antes de ir a dormir. La luz de medianoche iluminaba el parque con unos increíbles tonos dorados y las luces de la ciudad seguían brillando en medio de un aire extremadamente puro. ¿Qué hacía Reykiavik en medio de una isla como aquélla? ¿A quién se le había ocurrido levantar una ciudad tan cosmopolita en un paisaje dominado por volcanes y glaciares? Cansado, me dejé caer en la cama y me dormí sin conseguir resolver el problema. La única conclusión a la que llegué fue que Islandia era un país extraño, el gran desconocido de Europa, y que precisamente por ello valía la pena recorrerlo, aunque fuera tan sólo en un par de días.

# III

## REYKIAVIK, DE NUEVO

## 15

## *101 Reykiavik*

En los días que siguieron, una vez recuperada la calma, volví a sumergirme en mi novela sobre Zanzíbar. Estaba a gusto en mi casa de Reykiavik, pero me sentía un tanto desconcertado: por un lado, el viaje alrededor de la isla había marcado un paréntesis que me permitía ver el conjunto de mi novela con más claridad; por otro, cada vez me sentía más lejos del ambiente tropical de Zanzíbar y más cerca de Islandia. Seguí escribiendo, sin embargo, intentando avanzar en el terreno pantanoso que es siempre la redacción de una novela. En las necesarias pausas de descompresión aproveché para leer *101 Reykiavik*, el libro de Hallgrímur Helgason que me había recomendado Einar. Era una novela a años luz del espíritu de las sagas, con el Reykiavik de ahora mismo como escenario y con un joven protagonista que se pasaba el día haciendo el zángano, bebiendo cerveza e intentando ligar en el Kaffibarinn.

Coincidí con Hallgrímur Helgason días después en otro bar del centro, el Vegamót. Desde el primer momento me pareció un tipo agradable. Tenía cuarenta y pocos años, llevaba la cabeza rapada, sonreía con facilidad y tenía unos ojos muy expresivos. Cuando le comenté que acababa de leer su novela, lo celebró con una sonrisa y nos pusimos a hablar de Islandia, de Reykiavik, de los islandeses, de su novela y de todo lo que nos pasara por la cabeza.

—En un principio, la novela se tenía que llamar *Hlynur Björn*, que es el nombre del protagonista —me explicó Hallgrímur Helgason—, pero mis amigos me decían que era un título muy raro y que no vendería ni un ejemplar. En el último momento me vino a la cabeza el título *101 Reykiavik*: 101 es el código postal del centro de Reykiavik y define un ambiente y una situación cultural muy determinados, ya que en los últimos años la gente ha ido a vivir a casas con jardín en las afueras y el centro se ha quedado sólo para los tipos raros.

Hallgrímur Helgason confesó haberse inspirado en los jóvenes de la última generación de islandeses para definir a su personaje central, un alocado hijo de madre lesbiana y padre alcohólico, aunque admitió también que quiso llevar las cosas a un extremo.

—El protagonista es más patético y más divertido que la mayoría de los jóvenes islandeses —me comentó con una sonrisa—. Hlynur es muy frío. No demuestra sus sentimientos. En este sentido, es muy islandés. Pero no quería hacer de él el típico islandés. Por eso, a diferencia de la mayoría de los islandeses, no le gustan ni la literatura, ni la cultura, ni la naturaleza... Mientras escribía la novela era consciente de que iba contra esta imagen de los islandeses. Hay gente de aquí que me dice que no les gusta el libro por la visión que da de Islandia. Es cierto que el personaje es patético, pero me planteé el reto de conseguir que, siendo patético, cayera simpático.

—¿Sientes que escribes dentro de la tradición islandesa? —quise saber.

—La literatura islandesa era hasta ahora muy romántica, con mucha naturaleza, caballos, pueblos de pescadores, montañas, auroras boreales... Yo quería romper con eso, quería escribir una novela con un ambiente de ahora mismo, con rock, vida nocturna, Internet, televisión por satélite... Hlynur es como una víctima de toda la información inútil que recibe por la tele, por Internet, por todas partes.

—¿Crees que hay un humor específicamente islandés? —le pregunté mientras recordaba que en todas las novelas islandesas hay siempre grandes dosis de humor.

—El humor islandés es muy sarcástico —señaló—. En Islandia la vida es tan dura que hay que defenderse con el humor. Aquí nada es sagrado. La gente hace chistes de todo. Por otra parte, todos nos conocemos. Es como si siempre hubiera una cámara mostrando lo que haces en directo por televisión. Es como el Gran Hermano de George Orwell. Vas por la calle y todos te miran. Si vas con una chica, te miran como si te tuvieras que casar dentro de un mes...

—¿No es un poco agobiante?

—Puede llegar a serlo, pero esto es lo que me gusta de Reykiavik, que es a la vez un pueblo, pero también muy cosmopolita. No has de desplazarte mucho para encontrarte con alguien. Todos te conocen y es fácil encontrarte con todos. Vas a un bar y hay alguien que te consulta si puedes hacer un guión o un libro o lo que sea. No tiene que llamar ni es complicado quedar. Me gusta este sentimiento de vida de pueblo que tiene Reykiavik, aunque es cierto que a veces cansa... La verdad es que es como un pueblo, pero hace unos cinco años se puso de moda y empezó a venir gente de todo el mundo. El Kaffibarinn, el local donde ambiento buena parte de la novela, era un sitio increíble. Allí podías encontrarte a Zinedine Zidane, a Damon Albarn, a Jerry Seinfeld... Era una sensación muy extraña. En los últimos años el Kaffibarinn ha sido el centro de la vida nocturna de Reykiavik y el personaje de mi novela, Hlynur, quiere levantarse cuando se pone el sol. Es una criatura nocturna, que vive pensando en ir a los bares de noche.

Helgason, que además de escritor es pintor, en la década de los ochenta vivió tres años en Nueva York, pero no consiguió abrirse camino como artista.

—Me sorprende ver que *101 Reykiavik* se haya convertido en una novela de culto para una generación de islandeses —reflexionó mientras terminaba su cerveza—. Al principio no se vendió mucho, pero después, cuando se hizo la película, sí. Primero la gente se quejaba: «Ese personaje se está masturbando todo el día», decían con disgusto. Quizás es que la mayoría de los islandeses no lo hacía en 1996. Después, con el caso Clinton, parece que ya aprendieron a hacerlo y se han vuelto más liberales. Por eso empezaron a comprar el libro a gran escala.

El tema de lo sobrenatural no podía faltar en una conversación con un autor islandés.

—El personaje de Hlynur nació en 1990 —me contó—. Yo iba montando a caballo por el campo, con una luz magnífica, cuando empecé a hablar como Hlynur. Fue como algo sobrenatural. Hablaba como él: sarcástico, nihilista... De repente, vino un coche a la granja donde estaba y oí que retransmitían por la radio un partido de fútbol. Un jugador se llamaba Hlynur Björn. Así que le puse este nombre, aunque cambiándolo un poco... No creo en los elfos, pero sí en los espíritus de Islandia. Aquí hay algo muy especial que encuentro a faltar cuando vivo en el extranjero. Islandia es un país pequeño en el que muchas cosas aún están por hacer. De repente, puede haber una erupción volcánica y nace una nueva isla, una nueva montaña... y hay que ponerle nombre. Es un país muy creativo. Cuando vivía en Francia, pensaba: esto era así hace quinientos años y lo seguirá siendo los próximos quinientos. En Islandia no. Aquí todo cambia.

—En general hablas muy bien de Islandia —le comenté, recordando algunos pasajes de su libro—, pero en la novela se dice que «Reykiavik es como un pueblo perdido de Siberia».

—Y es cierto, sobre todo en invierno, cuando sopla la ventisca y no puedes ni salir a la calle. Entonces todos se encierran en sus casas, no hay nadie en la calle. Te sientes como en Siberia. El próximo punto civilizado está muy lejos y, si sales en coche, la siguiente estación de autopista puede estar a tres o cuatro horas. Y con ese tiempo... Es como vivir en Siberia. Sientes que vives en el último extremo del norte civilizado. Más allá no hay nada. Islandia está en el extremo final, casi inhabitable. Aquí, sin embargo, se puede hacer casi de todo. Casi, pero odio el mal tiempo en invierno. Hay tan pocos días de sol que cuando hay uno algunas empresas cierran para que la gente pueda disfrutarlo. La verdad es que en invierno a veces me pregunto por qué vivo aquí...

—¿Y qué te respondes?

—La única respuesta que encuentro es porque nací aquí. Podría vivir en países más cálidos, donde incluso en invierno puedes tomar el sol en la calle, pero... las raíces tiran. La lengua también. Estamos aislados, somos un país pequeño, vivimos en condiciones difíciles... Nunca te puedes relajar. Siempre vives en tensión. Esto, por otra parte, te da mucha fuerza, mucha energía. Cuando viví en París lo encontraba muy duro. Podían tirarse tres horas para comer. Tenía la sensación de que todo el día estaba comiendo. Esto es más como Nueva York. Es una sociedad similar, una nación joven con una mentalidad pionera, con una sensación de que no todo está acabado, que aún quedan muchas cosas por hacer.

Cuando nos separamos, a la salida del bar Vegamót, vi cómo una mujer abordaba a Hallgrímur Helgason justo enfrente de la librería Mál og Menning, la más grande de Reykiavik. Las cámaras siempre conectadas de la ciudad, el ojo que todo lo ve del Gran Hermano de Orwell, volvían a entrar en acción. Ser famoso en Islandia debe de ser algo así como estar las veinticuatro horas del día en un plató de televisión, expuesto a las miradas de todos, a la curiosidad de un país entero. De vez en cuando, Hallgrímur Helgason superaba esta sensación largándose por unos años a un país extranjero: como si necesitara salir a respirar a la superficie. De hecho, por lo que había visto hasta entonces, todos los escritores islandeses suspiraban por marcharse durante un tiempo de su país, pero todos acababan por volver. Lo habían hecho Halldór Laxness, Gunnar Gunnarsson, Gudbergur Bergsson y muchos otros. Y es que, en el fondo, por muy lejos que se vayan, saben que en ningún otro lugar encontrarán la energía que les da Islandia, esa fuerza que emana de la larga tradición de las sagas y del extraño poder de una tierra de corazón volcánico.

## 16

## Un país de cine

Vi la película *101 Reykiavik* unos días después de encontrarme con Hallgrímur Helgason. Einar trajo una copia en vídeo a casa y la miramos mientras comíamos palomitas y me obsequiaba con un servicio de traducción personalizado. Me gustó. El director era Baltasar Kormákur y Victoria Abril tenía un papel destacado como improbable profesora de flamenco en un Reykiavik invernal.

Pasados unos días me cité con Baltasar Kormákur en el Kaffibarinn. Apareció ataviado de *latin lover*, con pelo largo muy negro y un bigotito a lo Clark Gable. «Es por una película que estoy rodando», se excusó en inglés. A continuación, nos sentamos en una mesa del piso superior y me explicó que él era uno de los dueños del Kaffibarinn, junto con el otro productor de la película y con Damon Albarn, el cantante de Blur. «Este bar lleva unos diez años como el sitio más caliente de Reykiavik», comentó con orgullo.

Aun sintiéndose muy islandés, Baltasar Kormákur sentía la sangre española en sus venas. Su padre era el pintor catalán Baltasar Samper, residente desde hacía muchos años en Reykiavik, y los veranos de su infancia los pasó en Berga, en casa de sus abuelos. Formado en Islandia como actor y director de teatro, *101 Reykiavik* era su primera película. Había sido un éxito rotundo, hasta el punto que había formado parte de la selección oficial de los festivales de Toronto, Locarno y Sundance y se estrenó con éxito en varios países, entre ellos España.

—Yo tengo ahora 35 años y llevaba mucho tiempo trabajando como actor —me explicó—. También dirigí teatro, entre otras cosas hice *Hamlet* en el Teatro Nacional de Islandia. En un momento dado, pensé que había llegado el momento de hacer una película. Cuando leí la novela de Hallgrímur Helgason me di cuenta de que allí había una historia interesante, con buenos personajes y buenas situaciones. Pero la película es muy distinta del libro. No intenté en ningún momento ilustrar el libro, sino hacer mía la historia.

—¿Qué pretendías mostrar en tu película?

—La vida nocturna de Reykiavik es muy intensa —señaló mientras barría el Kaffibarinn con su mirada— y quería mostrar esta vitalidad. A Victoria Abril, cuando vino para el rodaje, le encantó. Para ella era casi como estar en el cielo. Y es que la gente aquí vive la noche de otro modo. Hay quien dice que los islandeses somos los latinos del norte. Lo cierto es que la animación dura todo el año. Es diferente de España. Aquí la fiesta se concentra más en el fin de semana y la gente bebe mucho.

Ahora nos han descubierto en todo el mundo y Reykiavik es una ciudad con mucha marcha y con una noche muy viva. El pasado sábado, por ejemplo, en el Kaffibarinn la gente estaba bailando sobre las mesas a las cinco de la madrugada... Y por las calles hay gente toda la noche. Antes los bares cerraban a las 3 y la gente se quedaba en la calle bebiendo. Parecía carnaval. Yo influí con un grupo de gente para que permitieran abrir algunos bares hasta las 6. Así la gente por lo menos no se queda en la calle...

La película *101 Reykiavik* se permite algunas variaciones respecto a la novela. El personaje de Victoria Abril, por ejemplo, nació de la imaginación de Baltasar Kormákur. Victoria hace de profesora de flamenco residente en Islandia y es la amante de la madre del personaje central.

—Yo le envié el guión a Victoria Abril, pero pasaban los meses y no me decía nada —me explicó Kormákur—. Un día, pedí a un amigo que iba al Festival de Berlín que la abordara en una fiesta y le preguntara qué le parecía el guión. Ella dijo que no había pasado de la primera página. Y es que la primera versión del guión empezaba así: «Son las 3 de la madrugada y vamos a aterrizar en el aeropuerto de Reykiavik, donde la temperatura es de quince bajo cero. Bienvenidos a Islandia». Ella dijo: «Yo, a quince bajo cero no trabajo». De todos modos, al final lo leyó y le gustó. Volamos a París con mi socio, hablamos con ella y la convencimos. A partir de entonces todo fue fácil. La película se rodó en 1999 en cuarenta días, la mayor parte en invierno, pero las escenas de Victoria las rodamos en verano. Rodé toda la película y sólo faltaban sus escenas. Ella lo puso como condición; no quería morirse de frío en invierno. De todos modos, ahora somos muy amigos y al final ella le perdió el miedo al invierno islandés. Incluso celebró aquí el fin del milenio.

—¿Y por qué querías a Victoria Abril?

—Busqué a Victoria Abril porque quería una actriz que tuviera una edad intermedia entre la madre y el hijo. Pensé que así tendría más fuerza y si era extranjera haría que algo se rompiera en esta pequeña sociedad. Pensé en distintas nacionalidades, pero Victoria Abril me parecía perfecta. Es una mujer de 40 años con el carisma necesario para ser lesbiana. No hay muchas como ella. La había visto en *Amantes* y me pareció sensacional en el papel de viuda fuerte. Por otra parte, pensé que estaría bien entrar con el tópico del flamenco para después cambiarlo. De hecho, el flamenco es irrelevante en la película. La gente debe de pensar que es absurdo: una película islandesa con flamenco, pero yo quería enlazar esto con una parte de mi vida, ya que mi padre es español. En Islandia hay muchos extranjeros, pero no suelen aparecer en las novelas. Por eso quise ponerlos en la película. Están aquí y vale la pena hablar de ellos.

—Al final del libro, y de la película, el joven Hlynur, inmerso en una crisis, acude a un glaciar para reencontrarse consigo mismo. ¿Por qué los islandeses siempre regresan a la naturaleza?

—Acude a la naturaleza, pero no a un sitio cualquiera —señaló Baltasar Kormákur—. Va al Snaefellsjökull, un volcán que en Islandia tiene fama de tener mucha fuerza espiritual. Julio Verne sitúa aquí la entrada de su *Viaje al centro de la Tierra* y yo tenía un amigo fotógrafo que se cayó allí y apareció congelado veinte años después... Tiene un significado simbólico. El protagonista es un perdedor, hasta tal extremo que no se puede matar porque incluso la naturaleza lo rechaza. Hace unos años, por cierto, dijeron que aterrizaría en esta montaña una nave espacial. Vino gente de todo el mundo para verlo. Al final la nave no aterrizó, pero los más fieles dijeron que sí lo había hecho, pero que había venido en una forma que los humanos no podíamos ver...

Pensé en los elfos, en la infinidad de «seres ocultos» que pululan por el país. Aquello podía ser otra versión del mismo tema: la nave que aterriza sin ser vista. Estaba claro que una parte de la población islandesa necesitaba creer en algo sobrenatural.

Seguimos hablando durante un buen rato. A los islandeses les gusta hacerlo y nunca parecen tener prisa. El estrés no va con ellos. En un momento dado fue inevitable hablar de Björk, el máximo símbolo de la modernidad islandesa. Al oír su nombre, Baltasar Kormákur sonrió y dijo:

—Ella ha hecho mucho más para promocionar el país que la Oficina de Turismo. Pero hay otros muchos grupos musicales, como Sigur Rós. Aquí se vive mucho la música.

Entrados en el tema de la música, comentó Kormákur que Damon Albarn, ex miembro de Oasis, era el autor de la banda sonora de *101 Reykiavik*. Su visión de cómo Albarn se hizo socio del bar era, por cierto, bastante curiosa:

—Cuando la crisis de Oasis, él venía mucho a Islandia para desconectar —me explicó con una sonrisa—. Se pasaba el día bebiendo en este bar. Un día le levantamos la cabeza de la mesa y le dijimos: «Eh, tú, ¿quieres ser nuestro socio?». Le hizo gracia lo de tener un bar en Islandia y se apuntó.

Eché un vistazo al Kaffibarinn. ¿Qué tenía aquel bar para atraer a tanta gente? Quizás el secreto estaba en el aire de tierra de frontera que desprendía, en su aureola de lugar perdido pero marchoso en medio de una isla remota y olvidada. En el fondo, aquel bar era como una versión moderna de los *saloons* de las películas del Oeste o, puestos a ir más atrás en el tiempo, la actualización del viejo espíritu de las sagas.

Me despedí de Baltasar y me fui a tomar unas cervezas con Einar y Gudmundur. Recorrimos unos cuantos bares hablando de películas, de libros y de seres sobrenaturales. De vez en cuando me obsequiaban con uno de esos minuciosos relatos islandeses en los que no falta ni sobra nada. Como la historia del falsificador de cuadros que acabó trabajando de camarero. O la del jefe de policía al que pillaron haciendo el amor en una piscina. O la del poeta que, en pleno delirio etílico, se lió con una mujer turca que al día siguiente fingía no conocer... Escuchándoles, pensaba que no es extraño que haya tantos escritores en Islandia. Allí todo se sabe, todos tienen muchas historias que contar sobre los otros y disponen de tiempo de sobra para hacerlo sin prisas.

Se estaba bien en Reykiavik. Me gustaba comprobar que después de varias semanas ya no era un extranjero: no tenía que consultar el mapa para orientarme y empezaban a resultarme familiares las caras de la gente que esperaba el autobús en las paradas de Hlemmur o Laekjartorg. Cuando regresé a casa, poco antes de la medianoche, me fijé en la imponente silueta del Snaefellsjökull, majestuoso al otro lado de la bahía. Los rayos de sol arrancaban de él una especie de resplandor místico, digno de la portada de un libro New Age. Automáticamente pensé en *101 Reykiavik* y reciclé lo que había estado hablando con Hallgrímur Helgason y con Baltasar Kormákur. El encanto de Islandia nacía sin duda de aquel extraño e improbable cóctel en el que convergían un paisaje espectacular, que para algunos estaba dotado de una energía sobrenatural, y el deslumbrante cosmopolitismo de Reykiavik.

## 17

## Piscinas, playas y falos

Incapaz de sentarme ante el ordenador, al día siguiente me dejé caer por la piscina de mi barrio, la de Laugardalur. Me sumergí un buen rato en el jacuzzi comunitario mientras escuchaba a unas mujeres ya entradas en años que hablaban sin parar. No entendía nada, pero era obvio que para ellas acudir a la piscina debía de ser como ir al club de la tercera edad.

Cuando uno lleva ya un tiempo en Islandia aprende que las piscinas del país, siempre de agua caliente, son sobre todo un excelente lugar de relación social, como los pubs en Inglaterra o los cafés en Francia. Su efecto es bueno para la salud y puede que en ellas esté el secreto de la longevidad de los islandeses, pero más allá de estos beneficios, se cuenta que muchos idilios y matrimonios se han forjado en las piscinas públicas.

—Me llevé una sorpresa inmensa cuando fui de vacaciones a España —me comentó en cierta ocasión mi vecina Hólmfrídur—. Nunca me hubiera imaginado que pudiera haber piscinas de agua fría.

Son cosas del clima, por supuesto. Contraste de países y de culturas. Me temo que una piscina de agua fría en Islandia no tendría ningún éxito. De todos modos, cuando uno se acostumbra a la placidez de las piscinas islandesas —esos lugares en los que ni siquiera hay que bracear y que están siempre a la temperatura ideal— le cuesta admitir el concepto de las piscinas de agua fría. Pero, claro, no todos los países son como Islandia, donde basta con hacer un agujero en el suelo para que mane agua caliente en abundancia.

Cuando regresé a casa, pensando en mi novela sobre Zanzíbar tras mi relajante inmersión en la piscina, estaba sonando el teléfono. Era Einar, que me proponía ir a la playa.

—Acabo de llegar de la piscina —le dije.

—¿Y qué? —respondió—. Yo te estoy hablando de una playa.

—¿Una playa en Reykiavik? —pregunté sin ocultar mi desconfianza.

—En efecto —insistió—. Una playa de verdad.

—¿Con arena y agua templada? —pregunté, receloso.

—Tan idílica como una playa mediterránea.

—Debes de estar soñando, Einar —meneé la cabeza, convencido de que me estaba tomando el pelo.

—Tú mismo lo vas a comprobar —dijo—. Dentro de media hora estaré en la puerta de tu casa.

Llegó al cabo de cincuenta minutos, con una sonrisa sospechosa, una camisa de palmeras y una toalla colgada del hombro.

—¿Qué? —inquirió, desafiante—. ¿Te vienes a la playa?

Le acompañé entre escéptico e intrigado. ¿Estaría hablando en serio? ¿Era cierto que había una playa mediterránea en un lugar tan nórdico como Reykiavik? Tras unos minutos salí de dudas. Einar aparcó cerca del mar, en el barrio de Nauthólsvik, y tras caminar unos pocos metros surgió ante nosotros lo que parecía un espejismo: una magnífica playa de arena dorada.

—¿Es o no es una playa? —preguntó Einar.

—Sí, pero... no hay nadie tendido en la arena.

Había unos niños chapoteando en una piscina junto al mar, pero en la arena no había nada de lo que suele ser habitual en las playas: ni gente tomando el sol, ni toallas, ni niños jugando con un balón, ni parasoles, ni vendedores de helados, ni bronceadores, ni radios a todo volumen...

—¿Cómo quieres que tomen el sol si estamos a diez grados? —rezongó Einar.

Ambos nos echamos a reír. De entrada, la playa daba el pego, pero al cabo de un momento de estar allí te dabas cuenta de que era algo así como pura realidad virtual. El Ayuntamiento había tenido la genial idea de traer unas cuantas toneladas de arena de un lugar remoto y había desviado hacia aquel trozo de bahía el sobrante del agua de la calefacción. Un dique flotante se encargaba de evitar que el agua caliente se mezclara con el agua fría de la bahía, pero aun así el resultado no era el apetecible: el agua seguía estando demasiado fría para un baño. Sin embargo, para que la gente no se sintiera frustrada, el municipio había construido dos piscinas en la misma playa. Eran piscinas de agua caliente, por supuesto, y en ellas se hacinaban decenas de niños que apenas si asomaban la cabeza, temerosos de exponerse al aire frío. De vez en cuando, uno de ellos se armaba de valor y, como impulsado por un resorte, salía de una de las piscinas y, sin dejar de tiritar, apretaba a correr por la arena hasta que alcanzaba el objetivo de sumergirse en la otra piscina. Una vez allí, se sentía de nuevo a salvo del frío de aquella playa virtual.

—La playa se inauguró en junio de 2000 y aún quedan algunos detalles por perfeccionar, pero tienes que reconocer que es una buena idea —reflexionó Einar—. Quizá la próxima vez que vuelvas ya habrán decidido cubrirla y plantar unas cuantas palmeras.

—¿Y no saldría más barato enviaros a todos una temporada a España?

—No me seas derrotista... Además, según las estadísticas un 75% de los islandeses ya ha estado alguna vez en España.

Comimos en un restaurante cerca de la playa y paseamos después hasta la colina dominada por los enormes depósitos donde se almacenaba el agua caliente de toda la ciudad. Eran seis en total, con una capacidad de cuatro millones de litros cada uno, y encima de ellos estaba la cúpula de cristal del restaurante panorámico Perlan, uno de los más cotizados de Reykiavik. El conjunto, de acero inoxidable y cristal, tenía un amenazador aspecto futurista.

Perlan, inaugurado en 1991, es la expresión más rotunda de cómo se aprovecha la energía geotérmica en Islandia. De hecho, el agua caliente que sale del subsuelo siempre se ha utilizado en la isla, pero en los últimos años han perfeccionado el sistema hasta extremos increíbles. En 1928 se construyó el primer pozo para obtener agua caliente para calefacción, aunque en los años treinta sólo llegaba a dos edificios. Fue a partir de 1940 que la calefacción geotérmica empezó a extenderse. En 1945 ya eran 2.850 las casas de Reykiavik calentadas con esta energía y, al crecer Reykiavik, la zona de Nesjavellir, situada a 27 kilómetros de la capital, se desarrolló para obtener energía geotérmica en grandes cantidades. En un inquietante «viaje al centro de la Tierra», esta energía se obtiene en Islandia a partir de unos 70 pozos, de entre 500 y 3.000 metros de profundidad, y por medio de unas largas tuberías se envía hasta Perlan, donde se almacena a unos ochenta y cinco grados de temperatura.

—En el futuro —me comentó Einar—, el Ayuntamiento de Reykiavik se plantea calentar las aceras y las calles con tuberías de agua caliente, para hacer de Reykiavik un lugar perfectamente habitable en todas las épocas del año.

A veces uno tiene la impresión de que Islandia es un país de otro mundo, una tierra que lucha por sobrevivir en medio de una naturaleza hostil, como si fuera una base en la superficie de la Luna.

Por la tarde, fuimos a pasear por el centro. Había paseado mil veces por Laugavegur, pero hasta aquel día no vi el anuncio del Museo Falológico.

—¿Y esto qué es? —le pregunté a Einar.

—Un museo de penes —me dijo, muy serio—. Lo dirige un profesor de historia.

—¿Y qué hay en él?

—¿Qué quieres que haya? Penes.

Me pareció interesante entrar. Al fin y al cabo, estaba seguro de que no se me presentarían muchas ocasiones de visitar una colección de falos.

El museo no era muy grande. Consistía en un par de habitaciones decoradas en plan escandinavo y repletas de penes de mamíferos.

—Empecé la colección en 1974 y hace unos cuatro años dedicí crear el museo —me explicó el profesor Sigurdur Hjartarson, un tipo divertido, de unos sesenta años, que hablaba un perfecto castellano—. Actualmente tengo 143 especímenes, pertenecientes a 41 especies —comentó con orgullo mientras paseaba ante su original colección—. Estoy esperando que me traigan el pene de una especie de ballena pequeña que, junto con el humano, completarán las 43 especies de mamíferos de Islandia. Entonces habré terminado la colección.

Me permití observar que lo del pene de ballena podía ser relativamente fácil, pero que lo tendría más crudo con un pene humano.

—Te equivocas —sonrió—. Tengo cartas de donación de tres hombres. La más antigua es de un islandés llamado Páll Arason, de 86 años. Fue pionero del turismo en la Islandia central y un gran mujeriego. Es un tipo muy divertido. Los otros dos son un alemán de cuarenta y pico años, Peter Christmann, y un inglés de treinta y pico, John Dower, que acompaña la carta de un molde de su pene. El problema es que cuando se muere el donante hay que cortar el pene cuando el cadáver todavía está caliente —añadió Hjartarson con precisión de forense—. Luego se bombea la sangre para elevarlo, ya que para el donante, es importante que se conserve con dignidad, en una buena posición. Si se deja enfriar el cadáver ya no puede hacerse.

Consciente de la auténtica dimensión del problema, me dediqué a observar en silencio los distintos ejemplares de la colección. El que más llamaba la atención era sin duda el del cachalote, que medía 1,70 metros de altura.

—El primer ejemplar de mi colección fue un pene de toro —me explicó el simpático profesor, mostrándome un ejemplar largo y delgado—. Cuando yo era pequeño, en el campo nos daban esos penes para usarlos como látigos. Cuando empecé la colección, en 1974, yo era director de una escuela secundaria en un pueblo y algunos padres de alumnos trabajaban en estaciones balleneras y me llevaban penes muy grandes. De ahí me vino la idea.

La progresión del museo de Hjartarson era digna de elogio. Lo abrió con 63 penes en 1974 y ahora ya tenía 143. En el año 2000 recibió más de cinco mil visitantes.

—Un 65% son extranjeros —señaló— y tengo que decir que su reacción suele ser positiva. Preguntan mucho y casi nunca se sienten ofendidos. Tengo una sección que no muestro a todo el mundo en la que hay objetos y cosas curiosas relacionadas con los penes.

Entre estos objetos había calentadores de lana para penes, pasta para sopa en forma de pene, lámparas hechas con escrotos de buey, calendarios sexys, mástiles para banderas y pósters sobre el distinto tamaño de los penes en los que el hombre siempre lleva las de perder. La pieza preferida del profesor era un botijo con forma de guardia civil, tricornio incluido, del que salía un chorro de agua por la punta del pene. «Lo compré en Ciudad Real —apuntó satisfecho—, durante uno de mis viajes por España. Es precioso, ¿no?»

Aquella noche tuve un sueño angustioso: me estaba bañando en la playa de Reykiavik cuando, por sorpresa, surgía de debajo del agua un hombre con la cara del viejo profesor Sigurdur Hjartarson. Iba armado de un bisturí y, con una sonrisa mefistofélica, me repetía que necesitaba una parte muy precisa de mi anatomía para incorporarla a su museo. «No te dolerá —insistía—. Será tan sólo un instante.» Me desperté con un sudor tan frío como un glaciar islandés.

## 18

## Café de París

Tenía muchas ganas de encontrarme con Jaime Salinas en Reykiavik. Lo había conocido meses atrás en Madrid y lo respetaba como uno de los grandes de la edición española. Hijo del poeta Pedro Salinas, Jaime Salinas, educado en Argelia y en Estados Unidos, entró a trabajar en los años cincuenta en una consultoría francesa y, por un azar de la vida, uno de sus primeros destinos fue la editorial Seix Barral. Allí entró en contacto con la llamada Escuela de Barcelona y no tardó en hacerse amigo de Carlos Barral, Jaime Gil de Biedma, Josep Maria Castellet y Gabriel Ferrater. La casa de Jaime Salinas, en la calle de Felipe Gil, se convirtió pronto en un centro de reunión en el que la ginebra corría a chorros y en el que la conversación se alargaba a menudo hasta la madrugada. Más adelante, cuando dio por terminada su etapa barcelonesa, Salinas puso su sello de calidad en otras editoriales de Madrid, como Alianza y Alfaguara.

Salinas convivía desde hacía años con Gudbergur Bergsson, considerado el mejor escritor islandés vivo y traductor de *El Quijote* al islandés. Si Halldór Laxness había llegado al premio Nobel gracias a su engarce con la tradición de las sagas, Bergsson había escrito un tipo de literatura que, según los estudiosos, convertía el islandés en un lenguaje moderno, experimental, que le hacía merecedor de un amplio respeto internacional. Así lo atestiguan novelas como *El cisne* o *Tómas Jónsson best-seller*, ambas traducidas al castellano.

Debido a su larga relación con Bergsson, hacía muchos años que Jaime Salinas pasaba los veranos en Islandia, por lo que estaba seguro de que podía darme una visión interesante del país. Cuando le llamé, me citó en el Café de París, un local elegante del centro, clásico, con un inequívoco aire francés y con una cotizada terraza al sol (cuando lo había) que daba a la plaza del Parlamento. Llegó puntual y lo primero que hizo fue lamentar que no pudiera conocer a Bergsson, ausente aquellos días de Reykiavik. Me explicó que ambos se habían conocido en 1956, cuando Bergsson fue a Barcelona para estudiar filología española. Eran los años dorados de la editorial Seix Barral. En *Diario del artista seriamente enfermo*, Jaime Gil de Biedma hace algunas referencias a Bergsson, a quien rebautiza como «Han de Islandia». Veamos un ejemplo: «Almuerzo en casa de Jaime Salinas, con él y con Han de Islandia, cuya vitalidad de pillete hiperbóreo es también un disparate y me hace mucha gracia». Y, más adelante: «Y otra vez Han de Islandia: está borracho y muy dramático. Dice que no entiende cómo puedo ser poeta, cómo con mi físico y mi temperamento puedo encontrar interés alguno en la poesía. Me cuenta su vida, su hemoptisis, las hemoptisis de su padre y de su madre —los dos también tuberculosos—, sus diversos amores, sus diversas tentativas de suicidio —una, en el mar, especialmente bonita—, me enseña las cicatrices en sus muñecas. Y se desploma sobre la almohada, mientras rompe en una sombría llantina hiperbórea».

—En 1957 o 1958 vine por primera vez a Islandia —recordó Salinas—. Viajé en barco y paramos en las Islas Feroes. Enseguida me gustó. Siempre me han gustado las islas. Pero entonces este país era muy distinto. Sólo había granjeros y pescadores. Reykiavik, que ahora es tan cosmopolita, tenía sólo dos bares en aquellos años. Uno de ellos era el del Hótel Borg. Abrían a las seis de la tarde y a las cuatro ya había cola, puesto que sólo entraban los que cabían. El resto se tenía que esperar a que saliera alguien para poder entrar.

El tema del alcohol es algo que más tarde o más temprano aflora a la conversación en Islandia. Los islandeses tienen fama de ser grandes bebedores y cuando uno lleva unos días en Reykiavik comprueba que la fama está más que justificada.

—Los islandeses beben mucho, en parte porque son tímidos y acomplejados —comentó Salinas—. De todos modos, ahora ya no beben tanto como antes. A veces Bergsson me comenta que echa de menos aquellos borrachos que te decían cosas por la calle. Esto ya se ha perdido. Los sábados por la mañana paseabas por el centro y había unos cuantos borrachos tirados por el suelo, víctimas de la borrachera del día anterior. Y eso que antes no había cerveza. La gente se emborrachaba con el Brennivín, el aguardiente local.

Unos americanos ruidosos se instalaron en la mesa contigua, lo que hizo que la conversación derivara hacia el tema del turismo. Según Salinas, la mayoría de los visitantes de la isla era gente tranquila que venía atraída por el tema ecológico, aunque también había quien acudía para desconectar de las prisas europeas. El escritor Milan Kundera era uno de ellos.

—Fue él, por cierto, quien recomendó a los editores de Tusquets que publicaran la traducción de *El cisne* de Bergsson —añadió—. La había leído en una traducción checa y le gustó.

Al hablar de lo mucho que había cambiado Islandia en los últimos años, Salinas recurrió a la memoria de Bergsson, que recordaba que cuando él era pequeño el dinero sólo corría en la ciudad. En el resto del país, entonces muy atrasado, se hacían trueques entre los productos del campo y de la pesca.

—Antes sólo había patatas y bacalao mientras que ahora hasta se cultivan tomates y pepinos en invernaderos cerca de Reykiavik —señaló—. Lo que más me sorprende de Islandia, sin embargo, es que un país de sólo 280.000 habitantes esté tan bien dotado culturalmente, con una Ópera, un Teatro Nacional, productoras de cine, buenas editoriales, una orquesta... El nivel cultural ha bajado en los últimos años, pero antes era altísimo. La editorial inglesa Penguin decía que éste era el país donde, en proporción, vendía más libros per cápita. Aquí hay muchos escritores, pintores, músicos... Los hay a mansalva. Se explica porque es un país aislado, con una lengua minoritaria. La única manera de intentar mantenerlo vivo es con una cultura viva. De todos modos, a veces exageran. Aquí enseguida se apuntan a hacer cosas enormes, como la catedral de Reykiavik y otras iglesias modernas que hay por el país. Están vacías, pero les da igual. En Grindavík han hecho un estadio para dos mil personas, cuando sólo hay 1.500 habitantes. No lo llenarán nunca, pero ya lo tienen.

—Por lo que he visto, la gente de Islandia emigra mucho, pero siempre acaba volviendo —apunté.

—La gente de las islas es así —sonrió, comprensivo, Salinas—. Se van, pero siempre piensan en volver. Bergsson regresa cada verano. Necesita la luz de Islandia.

Durante un tiempo estuve dando vueltas a la conversación con Jaime Salinas. La suya era una visión diferente del país, hecha desde dentro tras muchos años de vinculación a aquella cultura.

En los días que siguieron me fijé especialmente en la gente que bebía en los bares. Tenía razón Salinas: bebían de un modo compulsivo, como si tuvieran prisa por desprenderse de los demonios que los atormentaban. Cuando estaban ebrios, se mostraban más comunicativos, reían abiertamente y proclamaban su felicidad. Pasadas veinticuatro horas, sin embargo, solían caer en un silencio ensimismado, taciturno, como si se arrepintieran de los excesos de la noche anterior.

Hólmfrídur Ólafsdóttir, una agradable mujer que trabajaba en la editorial Edda y que había vivido un tiempo en España, me expuso una posible explicación a este comportamiento.

—La mentalidad del autocastigo viene del carácter protestante —dijo—. Cuando un islandés disfruta, piensa en el fondo que no está haciendo nada de provecho y se autoflagela. Por eso les da por ponerse tristes después de beber. Halldór Laxness lo describe muy bien en sus libros. Algunos se refugian en la religión; otros en el New Age. La cultura del New Age tiene éxito aquí porque muchos alcohólicos necesitan agarrarse a algo para creer en su posibilidad de salvación. También los programas de radio con espiritistas tienen mucho éxito, aunque la moda ahora mismo es la de comer sano y practicar la medicina alternativa. —Sonrió antes de añadir—: Somos una sociedad moderna.

De eso no tenía ninguna duda. Bastaba con darse un paseo por el centro de Reykiavik para comprobarlo. Los jóvenes islandeses iban a la última y parecían estar perfectamente al día de lo que sucedía en Estados Unidos o en Inglaterra. Alguien me comentó que Internet había sido decisivo para sacar al país de un aislamiento secular. Cuando caía el invierno, una de las aficiones predilectas de los jóvenes era conectarse al ordenador y surfear por las páginas web de todo el mundo. Era su ventana al exterior.

## 19

## El pintor catalán

Me interesaba la visión que de Islandia podía darme Baltasar Samper, un español que llevaba cuarenta años en la isla. Había llegado en busca de aventuras en los años sesenta, fascinado por un país extremo, y con los años se había convertido en un islandés más. Cuando lo llamé por teléfono, se mostró muy afable y se apresuró a invitarme a su casa para que pudiéramos hablar con calma. Vivía en la zona de Kópavogur, en una preciosa casa que daba a la bahía. En su luminoso estudio, lleno de arte, pintura, pinceles y polvo, trabajaban él y su esposa Kristjana.

—Cuando llegué por primera vez a Islandia, en noviembre de 1961, el país era muy distinto de como es ahora, mucho más atrasado —me comentó de entrada—. Islandia era entonces un país aislado y se sabía muy poco de él. Recuerdo que antes de marchar consulté la Enciclopedia Espasa y sólo había una foto de unos niños llenos de mocos. En España no se sabía nada de Islandia.

Enseguida me di cuenta de que Baltasar Samper era hombre de conversación larga. Los ojos le brillaban cuando echaba la vista atrás y se regocijaba hablando de las vicisitudes de sus antepasados y de su extraña relación con Islandia. Nacido en Barcelona en 1938, en el ámbito de una familia catalanista, era nieto de otro Baltasar Samper que en los años treinta había sido amigo de Pau Casals y director de la Orquestra Ciutat de Barcelona. Durante la guerra, huyó en un submarino desde Barcelona y en una alocada mezcla de supervivencia, cultura y amor, el abuelo Samper se exilió a México con una de sus alumnas y dejó en Barcelona a su esposa, que tuvo que ocuparse de los siete hijos del matrimonio. En México, Samper inició una nueva vida, aunque siguió militando en el catalanismo y llegó a ser miembro del Gobierno catalán en el exilio.

—Cuando yo nací, el 9 de enero de 1938, las bombas destrozaron la casa donde vivíamos, en el paseo del Born de Barcelona —me explicó Baltasar Samper instalado en un cómodo sofá, con la bahía enfrente y una taza de café en la mano—. Por lo que me han contado, vino un cura a casa y me bautizó a escondidas. Al parecer, lo mataron cuando iba hacia el registro. Esto lo descubrí muchos años más tarde, cuando me iba a casar. Vi que no constaba como bautizado y me tuvieron que bautizar en Islandia *sub conditione*.

Baltasar Samper acabó sus estudios en la Academia de Bellas Artes de Sant Jordi, en Barcelona, en 1960, el mismo año en que acabó la mili. El destino quiso que fuera a celebrarlo a Cal Quimet, un popular bar del barrio de Gràcia. Allí coincidió con una mujer que dio un nuevo rumbo a su vida.

—Después de haber bebido bastante, conocí a una islandesa que estaba estudiando filología española en Barcelona. Me habló de su país y pensé que no estaría mal ir a Islandia, a ver qué pasaba. Entonces tenía claro que no quería vivir cara al sol —dijo con una sonrisa que buscaba subrayar el doble sentido de la frase.

Samper llegó a Reykiavik a bordo del *Gullfoss* desde Copenhague el 9 de enero del 1961, el día que cumplía 23 años. Se registró en un hotel y les advirtió que sólo tenía dinero para tres días. Le hablaron de la pesca del arenque y, pensando que era una manera rápida de reunir dinero, decidió enrolarse en un barco.

—Yo entonces estaba fuerte como un toro y me gustaban los trabajos duros —puntualizó—. Aquello era increíble. En Islandia había entonces tanto pescado que los barcos hacían cola para que los descargaran. Estuve tres meses en el barco, reuní mucho dinero y estuve viajando un año por Europa.

Pero regresó... Quizá sin que él lo supiera, el destino de Baltasar Samper ya estaba unido para siempre a aquella isla fría y lejana. Volvió a Reykiavik en 1963. Esta vez voló desde Glasgow, pasando mucho frío en un avión de los de antes. Quería volver a reunir dinero para viajar por el mundo, pero un resfriado enorme frustró sus proyectos. Un amigo poeta, al que había conocido en el primer viaje, lo acogió en su casa para que se recuperara. Al cabo de unos días quiso embarcarse de nuevo, pero el médico le aconsejó que se olvidara del arenque. Samper buscó trabajo en Reykiavik y lo encontró, como dibujante, en una agencia de publicidad. Para celebrarlo se fue a tomar unas copas al bar Mokka, uno de los pocos que había entonces en Reykiavik, y allá volvió a darse de bruces con un destino que se empeñaba en retenerle en Islandia.

—En el Mokka conocí a Kristjana, la que hoy es mi mujer —recordó justo en el momento en que ella, una rubia de elegante belleza, entraba en la casa—. A finales de 1963 decidimos casarnos, aunque su padre no lo veía bien. Islandia era entonces una sociedad muy cerrada y yo era como un negro para ellos. Tenían miedo de que traficara con mujeres y cosas por el estilo. Para tranquilizarlos, decidí casarme por la iglesia. Fue entonces cuando descubrí que no estaba inscrito en Barcelona como bautizado. Nos casamos el 29 de febrero de 1964. Es curioso, después supe que mi madre también se casó un 29 de febrero.

Kristjana se unió a la conversación, que a partir de entonces pasó a discurrir en inglés. Entre los dos recordaron los años felices en que habían tenido tres hijos seguidos: Baltasar (el director de *101 Reykiavik*), Mireia y Rebekka.

—Sin embargo, no todo iba bien —comentó Samper—. Ésta es una sociedad muy cerrada, endogámica, con mucho nepotismo, y a veces se aprovechan de los extranjeros. Aquí enseguida miran de quién eres hijo, qué amigos tienes... A veces pienso que este lío de los nombres lo hacen para que no se vea que mandan siempre los mismos... La manera de sobrevivir es casarte con una mujer de aquí y hacer que te respeten, trabajando por tu cuenta. Hice ilustraciones de libros de enseñanza, escenografías para teatro... y acabé ganándome la vida como pintor.

Baltasar Samper expuso por primera vez unos dibujos en 1963. Fue en un café del centro. Su primera exposición de verdad, sin embargo, fue en 1965, en el Museo de Historia de la Ciudad. En 1971-1972, cuando tenía 33 años, llegó la segunda. Desde entonces ha hecho una exposición cada dos o tres años. En Islandia, Estados Unidos, Alemania, Holanda, Dinamarca, Gran Bretaña...

—¿Y en España? —pregunté mientras me servía más café.

—No, en España no he expuesto nunca. Ha habido algunos intentos, pero se han frustrado. Me gustaría, pero aún no lo he hecho.

—¿Ha pensado en volver?

Baltasar Samper se revolvió en su asiento, buscando responder con sinceridad una pregunta que debía de haberse hecho miles de veces.

—La vida aquí es muy dura, pero se está bien... —dijo finalmente—. Desde que estoy aquí han venido unos cuantos españoles, pero son pocos los que se han quedado. No lo aguantan. No cobras igual que los de aquí, no tienes los mismos derechos, hace mucho frío... Aquí tenemos una estación en la que hace frío y otra en la que hace más frío. No es fácil abrirse camino aquí. Pero se está bien... Eso sí, hay mucha endogamia. Cuando el Rey vino aquí, en 1989, me preguntó en una recepción: «Oye, Baltasar, ¿verdad que hay mucho enchufado en este país?». Yo le dije que sí porque es evidente. En otra recepción alguien se acercó para preguntarle al Rey qué tenía que hacer para importar sangría. Yo no lo quería traducir, pero el Rey insistió. Cuando finalmente se lo dije, me comentó que quizá no sería un mal negocio...

—Aquí se bebe mucho, ¿no? —comenté mientras recordaba los fines de semana en las calles del centro, llenas de islandeses zigzagueantes y con la mirada perdida.

—Antes, cuando estaba prohibida la cerveza, era peor. La gente bebía alcohol de alta graduación. Ahora hay mucha marcha en Reykiavik; hay unos 150 bares, pero antes sólo había tres o cuatro y nada que hacer. Algunos de los que ganaban dinero con la pesca se lo pateaban todo. Pedían un taxi desde el barco y se iban directamente a beber. Al final no les quedaba ni un duro. Aún queda algo de este espíritu. Si las cosas te van bien, tienes que demostrarlo bebiendo e invitando a todo el mundo. Antes se bebía mucho en las casas particulares; ahora se hace en los bares. Antes era como una ostentación y quizá los jóvenes de ahora lo hacen porque han visto que lo hacían sus padres. Muchos son tan cerrados como la noche en invierno y la única manera que tienen de abrirse es bebiendo. Para tener valor tienen que beber.

Al hablar de «la noche en invierno», salió el tema del frío del país. Costaba imaginar aquella hermosa ciudad cubierta de hielo y nieve y a la gente encerrada en sus casas.

—Aquí ven el infierno como un lugar helado —dijo Samper mientras su esposa asentía—. Es curioso. Para nosotros es el fuego; para ellos, el frío. Asocian el infierno con el hielo. Por eso dicen que el invierno es infernal. Pero, de todas maneras, la gente le suele dar la bienvenida al invierno, porque es un tiempo propicio para la reflexión, para la introspección, para quedarse en casa, para leer... Deberías venir en invierno: encontrarías un país distinto.

—Creo que no entra en mis planes —sonreí.

—Pues tiene su encanto —insistió; después, mostrando uno de sus cuadros, colgado justo enfrente, añadió—. A mí el paisaje y la mitología nórdica me han influido mucho. Durante unos años, el tema mitológico ha sido un poco tabú aquí, a causa de Hitler y de los nazis. Ellos se lo apropiaron. Sin embargo, a mí me gusta leer las *Eddas* y seguir ese rastro mitológico. Éste no es un país muerto, no es un paisaje muerto. Cuando tengo que explicarlo a alguien que no lo conoce, le digo: «Imagínate un país donde tienes todas las expresiones del agua: vapor, hielo, lluvia, nubes, ríos, géiseres, glaciares, mar...». Después, además, tienes el fuego y el viento. Yo me he hecho este país a lomos de caballo, de punta a punta. Cada verano hacemos excursiones de 15 a 30 días a caballo. Es precioso. Hay pocos lugares en los que puedas disfrutar tanto de la naturaleza como aquí. Además, la naturaleza es muy ruidosa: el viento, la lluvia... Nos gusta dormir en tienda para poder oler la hierba. De vez en cuando, los caballos se niegan a pasar por un lugar y se desvían aunque no quieras.

—Por los elfos, ¿no? —apunté con una sonrisa.

—Sí, claro, los islandeses dicen que es por los elfos —me concedió—. Creen mucho en ellos. Dicen que no los vemos pero que están aquí. Un señor que conozco me contó que quisieron sacar una piedra enorme de un solar y no había manera. Se rompían las máquinas. A los de fuera les parece que es una broma, pero aquí se han llegado a desviar carreteras para no molestar a los elfos...

Para Baltasar Samper, Islandia era una isla a medio camino entre Europa y América. Una especie de fusión de ambos continentes. Cuando él llegó a la isla, cuarenta años atrás, todo era muy americano, sobre todo las casas y los coches. La influencia europea, sin embargo, había ido en aumento.

—Estamos americanizados en el exterior de las casas y en la manera de diseñar los barrios, pero el interior está europeizado —comentó—. La gente quiere que las casas sean muy acogedoras: compra arte, las personaliza mucho, cambia de muebles a menudo. El invierno es frío, pero las casas están muy preparadas. Yo he pasado más frío en algunas casas de Barcelona que aquí.

Terminamos de beber el café y mientras Baltasar y Kristjana me enseñaban el resto de la casa —confortable, elegante, llena de luz—, volví a preguntarle sobre la famosa endogamia islandesa.

—Los empleos oficiales pasan a menudo de padres a hijos —señaló tras mostrarme una guitarra en la que le gustaba tocar canciones de Brassens—. La familia aquí cuenta mucho, siempre se fijan mucho a la hora de casarse. Hay una serie de comerciantes que, ya en tiempo de los daneses, hacían la pelota a los gobernantes para poder tener el poder aquí. Con la independencia, estas familias han seguido mandando. Éste era un país de granjeros y pescadores, excepto estos comerciantes que movían el dinero de verdad. Todavía hoy se pasan los chollos de padres a hijos. El Partido Independentista, que es el más reaccionario, saca muchos votos en Reykiavik, y es gracias a este viejo núcleo que puede conservar el poder.

—Has dicho antes que los extranjeros lo tienen muy difícil aquí —recordé—. ¿Crees que hay racismo?

—¿Si son racistas? —repitió con una sonrisa—. En 1951, cuando las bases americanas, establecieron por escrito que no querían negros. Pero tienen mala conciencia y procuran no actuar así. Se lo van tragando poco a poco. Creo que esta sociedad puede aguantar hasta un 20% de inmigrantes. Cuando se supere esta cifra, explotará... Ahora mismo, de las mujeres en edad de parir, de entre 14 y 40 años, un 22% son extranjeras. Esto es un problema para una sociedad tan cerrada. Hace cien años, se ve que los vascos, franceses y portugueses que venían a pescar el bacalao volvían de noche al barco madre. Cuando había niebla, sin embargo, no podían regresar; los recogían muertos de frío y los ponían en la cama con una mujer a cada lado. Esto explica por qué hay tantos islandeses morenos. A algunos no les gusta recordar esto, pero creo que en el fondo ha ayudado a mantener el país genéticamente, ya que aquí, debido a la endogamia, había mucho mongolismo.

Baltasar Samper me acompañó a casa después de la larga conversación que mantuvimos. Conducía de prisa, al estilo español, contando anécdotas que ilustraba con frecuentes carcajadas. Se le veía un hombre feliz, un mediterráneo que, a pesar de los muchos años que llevaba en Islandia, no había perdido su condición de latino. Unos días después vi su foto en el periódico: participaba en una campaña para evitar que la gente condujera demasiado de prisa. No pude evitar sonreírme.

# IV

# EN BUSCA DE LA ISLA PERDIDA

## 20

# Del géiser al Trópico

Siguieron unos días tranquilos en los que alternaba la redacción de mi novela con largos paseos por el parque, incursiones en la movida noche de Reykiavik y largas y relajantes sesiones de recuperación en la piscina de Laugardalur. Un buen día, sin embargo, mientras estaba mirando una postal en la librería Mál og Menning, me di cuenta de que el tiempo pasaba muy de prisa y que todavía me quedaban por ver muchas cosas de Islandia. En vista de que ya tenía la novela bastante bien encaminada, decidí alquilar un coche por unos días y lanzarme a la exploración en solitario del país. Islandia me reclamaba.

Mi primera salida fue para ver los géiseres. No podía permitirme el lujo de estar una temporada en Islandia sin haber visto una de sus atracciones más famosas. Salí de Reykiavik de buena mañana y me dirigí hacia el pueblo de Selfoss por la misma carretera por la que Einar me había llevado hacia Djúpivogur. Esta vez, sin embargo, el viaje fue mucho más corto. Al llegar a Selfoss, giré hacia el interior, atravesé una serie de valles poblados de caballos y corderos, dejé atrás el lago Laugarvatn y las numerosas *sumarhús* (las «casas de verano» son toda una institución en Islandia) y me encontré de repente en la zona de los géiseres. A un lado de la carretera había un párking lleno de autocares y un edificio equipado con un bar inmenso y una sala de proyecciones en la que, por extraño que pueda parecer, se mostraban ininterrumpidamente filmaciones de géiseres, como si no bastara con la realidad. Al otro lado se abría un descampado de tierra parda y amarillenta en el que de vez en cuando emergía la inconfundible silueta de un géiser. En riguroso vivo y en directo.

No me lo pensé dos veces: me dirigí hacia los géiseres esquivando oleadas de turistas con la cámara a punto. Me sentía extraño, como si de repente me hubiera salido del guión. No tardé en detectar la causa: era la primera vez que coincidía con un rebaño de turistas. Hasta aquel momento había vivido casi siempre en una Islandia alejada de los circuitos turísticos, pero ahora me veía obligado a compartir mi camino con un puñado de extranjeros que no hacían más que cumplir con los tópicos: japoneses de filmación compulsiva, italianos vociferantes, norteamericanos obesos, ingleses de piel sonrosada y alemanes pendientes del reloj.

Lo malo de los géiseres es que no tienen horario fijo. Hay días en que les da por entrar en erupción cada cinco minutos y otros en que hacen huelga de brazos caídos. Esta imprecisión no deja de ser un lío para los grupos turísticos, siempre programados para quemar etapas cuanto antes. A un determinado tipo de turista le encantaría que en la puerta de cada atracción hubiera un cartel con el horario detallado de las erupciones, pero por suerte la naturaleza es sabia y, como en la canción, los géiseres se ponen en marcha sin respetar ni horario ni calendario. Para acabar de redondear el problema, el mítico Gran Géiser, el que alcanzaba los sesenta metros de altura y ha dado nombre a todos los de su género, empezó a funcionar en el siglo XIV y dijo basta a principios del XX. Según cuentan las crónicas, los lugareños utilizaban toda clase de trucos para excitarlo: por ejemplo, obstruían el orificio de salida con rocas para que subiera el nivel del agua y surgiera la correspondiente erupción. Otro ejemplo: hace bastantes años los islandeses solían celebrar el Día de la Independencia, el 17 de junio, echando kilos de copos de jabón en la boca del Gran Géiser para estimularlo. El jabón hacía que descendiera la temperatura en superficie y que surgiera una erupción forzada, pero la conciencia ecológica acabó por demostrar que este método era una salvajada y su práctica cayó en desuso. Ahora, por tanto, no queda más remedio que acudir a la zona y confiar en que el géiser tenga su día.

La física explica muy bien el fenómeno de los géiseres: la erupción se origina cuando el agua hirviendo que está en el fondo de los conductos queda atrapada por el agua más fría de la superficie. Es entonces cuando ésta estalla y se lleva cuanto tiene por delante con una majestuosidad única.

En reposo, el géiser es tan sólo un pequeño charco en el suelo sin demasiado interés. De repente, sin embargo, empiezan a salir burbujas, cada vez más grandes, hasta que se llega a una superburbuja que emite un «blop» muy característico. A continuación viene lo mejor: las miradas de todo el mundo convergen en el géiser, las cámaras ya están a punto y, como si respondiera a una magistral dirección de orquesta, salta el chorro con fuerza y se eleva como una impresionante columna de luz que pugna por alcanzar el cielo. Centenares de «ohhhs» y los clics de las cámaras fotográficas refrendan este momento apoteósico, este espectáculo único de la naturaleza.

En 1818, el viajero inglés Ebenezer Henderson describió así el fenómeno: «Mientras los chorros ascendían hacia el cielo a la velocidad de una flecha, mi espíritu se veía impelido a seguirlos y a contemplar con ellos la Grandeza y Omnipotencia de Jehová, en comparación con el cual estas y otras maravillas dispersas por la inmensidad de la existencia quedan reducidas a absoluta insignificancia; cuyos mandamientos todopoderosos dieron vida al universo; y por cuyo fíat soberano la trama entera podría reducirse en un instante a su nada original».

Entre los turistas actuales no suelen ser frecuentes las asociaciones con la gloria de Dios. Más bien abundan los comentarios de índole sexual, pero doy fe de que la emoción sigue siendo muy intensa. Puestos a viajar en el pasado, vale la pena recordar que el rey Christian IX de Dinamarca se hizo hervir unos huevos junto a un géiser en 1874 y que en los años treinta del siglo XX otro rey danés tuvo una experiencia frustrada en la zona. W. H. Auden lo relata así: «El monarca se fue a ver el Gran Géiser, que se negó a agradar; la gente lo explica diciendo que, por motivos de orgullo nacional, le pusieron jabón local, en vez de la marca Sunlight a la que está acostumbrado».

Y es que los géiseres son muy suyos. Últimamente, el Strokkur es el géiser que levanta más expectación entre el público, por sus frecuentes erupciones, pero después del terremoto de junio de 2000 el Gran Géiser parece que vuelve a funcionar, aunque con un horario anárquico. Cualquier día de éstos a algún científico al servicio de los parques temáticos le dará por domesticar a los géiseres y por hacer que funcionen como un reloj suizo. Y, quién sabe, igual también le da por teñirlos de colores para que la cosa quede más vistosa, y por adecuarlos al ritmo de la música. Si por desgracia llegara este momento, los géiseres habrían perdido toda su magia y se convertirían en otro anodino espectáculo de luz y sonido. Su magia, su atractivo, está precisamente en el hecho de que son algo natural que surge de debajo de la tierra con toda su fuerza.

Tras dejar atrás los géiseres, me dirigí hacia la cascada de Gullfoss, otra de las grandes atracciones de Islandia. Está situada unos kilómetros más arriba, en un valle alto desde el que ya puede intuirse la sombra imponente de los glaciares y de las montañas, casi siempre medio envuelta en un mazacote de nubarrones oscuros.

La cascada de Gullfoss no empezó a ser conocida por los viajeros hasta principios del siglo XX. El río Hvítá («Río Blanco») sufre aquí una elegante caída de 32 metros, en un vistoso salto doble en medio de un cañón angosto, rodeado de rocas y de verde. Si uno tiene la suerte de que salga el sol cuando se halla en la base de la cascada, puede disfrutar de una visión única, de esas que refuerzan la creencia en la fuerza mística de la naturaleza.

En 1907 Gullfoss corrió un serio peligro. Un ingeniero inglés quiso comprar la cascada para transformar la fuerza de sus aguas en energía eléctrica, pero el granjero Tómas Tómasson, fiel al espíritu irreductible de las sagas, se negó a venderla. Hubo otro intento de compra más adelante, pero Tómas y su hija Sigrídur se opusieron de nuevo al proyecto. Sigrídur amenazó incluso con lanzarse a las aguas del río si se consumaba el proyecto de planta hidroeléctrica y se fue andando a Reykiavik para pedir al Gobierno que evitara que la cascada cayera en manos extranjeras. El Gobierno ignoró sus protestas, pero de todos modos el proyecto no salió adelante y Sigrídur Tómasdóttir es contemplada en Islandia como una precursora de las ideas ecologistas. En 1939, la cascada fue comprada por Einar Gudmundson, quien en 1975 la regaló al Gobierno islandés para que la conservara como reserva natural.

Me tomé una cerveza en el bar de Gullfoss, en medio de turistas que escribían postales y se compraban jerséis para el invierno. Empezó a llover y, a través de las ventanas, el paisaje se veía como una tierra dura, inhóspita, pero dotada de una fuerza extraordinaria. En ese momento me acordé de Grettir *el Fuerte*, uno de los personajes de las sagas. Era tan valiente que no había dudado en atravesar las aguas de la cascada para luchar contra una troll. Pensé en preguntar al camarero si había muchos elfos y trolls por aquella zona, pero en el último momento preferí no hacerlo. Al fin y al cabo estaba seguro de la respuesta: no se les veía, pero seguro que rondaban por allí.

En el camino de regreso, para completar el Golden Tour de las agencias turísticas, hice un alto en Hveragerdi, el valle que ha merecido el desmesurado calificativo de Trópico Islandés. Si los géiseres y la cascada de Gullfoss son la naturaleza en plan desbocado, en Hveragerdi uno tiene la impresión de que todo está bajo control. En nombre de la productividad, el agua caliente del subsuelo del valle se utiliza para calentar grandes invernaderos en los que se cultivan todo tipo de plantas y verduras.

—Ésta es la gran reserva de frutas y hortalizas de Islandia —oí que explicaba un guía cuando entré en el mayor de los invernaderos, una especie de atracción llamada Jardín del Edén—. Antes sólo había patatas en el país, patatas y pescado, pero gracias al agua caliente y a los invernaderos se ha conseguido el milagro. Los domingos, mucha gente de Reykiavik se acerca hasta aquí para ver este valle tan fértil. Para los mediterráneos, quizá sea vulgar, pero para los islandeses es algo extraordinario.

En el Jardín del Edén estaba todo lo que un turista puede soñar: desde bares y restaurantes hasta tiendas de recuerdos en las que se podía comprar desde una postal hasta una piel de oso. Al fondo, bajo un clima falseado gracias al agua caliente y al invernadero, había una gran exposición de plantas y hortalizas propias de otras latitudes.

—¿No te parece maravilloso ver cafetales y bananeros en estas latitudes? —me preguntó una turista sueca al borde del trance.

Pensé en el tremendo contraste que había entre el duro paisaje de la isla y los cafetales y bananeros que había visto años atrás en Centroamérica. Era el encuentro de dos mundos irreconciliables. No era de extrañar que los islandeses, acostumbrados a la dureza de los campos de lava, tomaran aquel invernadero por el auténtico jardín del Edén.

En un rincón del centro comercial me llamaron la atención dos grandes cuadros firmados por Baltasar Samper. Eran paisajes llenos de flores y de color. Una nota al pie indicaba que Samper había estudiado en la Academia de Bellas Artes de Sant Jordi de Barcelona, como Picasso, Dalí, Miró, etcétera. El hombre se había buscado buenos compañeros de viaje.

En el camino de regreso a Reykiavik volví a encontrarme con el paisaje volcánico de siempre: desolación, rocas negras, líquenes, lluvia, montañas cubiertas de niebla... La monotonía, sin embargo, se rompió ante la visión de un monumento de gusto dudoso en el que dos coches destrozados hacían equilibrios sobre una gran estructura de hierro. En la base había una cruz de color negro con el número 9 pintado en blanco en el centro en recuerdo de los muertos en accidente de tráfico. ¡Nueve muertos en medio año! Cualquier fin de semana en las carreteras españolas se superaba aquella cifra. Era otra de las ventajas de vivir en un país pequeño, agobiado por una naturaleza excesiva.

# 21

## La capital mundial del arenque

Ya había estado en Akureyri con Einar, pero de prisa, de prisa, en una especie de carrera contrarreloj para dar la vuelta a Islandia en un tiempo récord. Así pues, decidí regresar hacia aquella parte del país para verlo con calma, sin agobios, con el tiempo necesario para detenerme donde me viniera en gana. Recordaba lo que me había explicado el pintor Baltasar Samper sobre la pesca del arenque y tenía muchas ganas de viajar a Siglufjördur, una población cercana a Akureyri que había sido, años atrás, capital mundial del arenque.

Volví a pasar por el túnel de Akranes, ignoré los desvíos hacia la península de Snaefellsnes y hacia los fiordos del Oeste e hice mi primera parada en Glaumbaer, a unos trescientos kilómetros de Reykiavik. Allí había unas cuantas casas de turba, con los tejados cubiertos de hierba, que permitían evocar los años en que la pesca y las patatas eran la única alimentación para los islandeses. Fue cerca de allí, en un bar de carretera, donde me detuve a comer algo, donde un arquitecto llamado

Gudmundur me regaló una de esas historias típicamente islandesas.

—Ocurrió hace tan sólo unos días —me explicó después de presentarse—. Tenía que preparar una exposición sobre la arquitectura de Islandia y, junto con un colega, fuimos a visitar una casa antigua, no muy lejos de aquí, que nos llamaba la atención por su rareza. Examinamos la casa y entramos en una iglesia contigua. Me fijé en que también había un cementerio con una tumba abierta, preparada para enterrar a alguien. En el pasillo central de la iglesia había un ataúd y en los bancos se sentaba gente con el rostro triste. Mi amigo se sintió violento y me dijo al oído que era mejor que nos marcháramos, pero, no sé por qué, a mí me gustaba aquella escena. Al final, sin embargo, subimos al coche con la intención de regresar a Reykiavik. Unos kilómetros más adelante vi una casa que tenía una arquitectura interesante. Pensé que nos podía servir para documentar la exposición y nos detuvimos. La miramos por fuera y confirmamos que valía la pena. Llamamos, pero no había nadie. Nos apuntamos las referencias para pasar otro día.

El arquitecto hizo una pausa estudiada y bebió un sorbo de café. Me gustaba su modo de narrar: atento a los detalles, sin prisas, deleitándose en el relato. Era una manera muy islandesa de contar historias, como si al hacerlo estuviera luchando contra la monotonía, contra una larga noche de invierno.

—Esto pasó un viernes —continuó—. El domingo abrí el periódico y me encontré con una foto de la casa en la sección de anuncios. Estaba en venta y había un número de teléfono. Seguí leyendo el periódico y, unas páginas más adelante, encontré una noticia sobre la muerte de una mujer. La leí por curiosidad y resultó que aquella mujer era la que estaba en el ataúd que habíamos visto en la iglesia dos días antes. Estaba asombrado ante tal cúmulo de casualidades, pero aún quedaba la definitiva. Seguí leyendo y resultó que la mujer fallecida era también la propietaria de la casa que tanto nos interesaba.

Se quedó mirándome cuando terminó la historia, como si yo pudiera darle alguna solución. Permanecí en silencio. Lo único que se me ocurría es que aquel relato tenía todos los ingredientes de los cuentos populares de la isla: la presencia del azar y de la muerte, un paisaje islandés, una casa ligada a la tierra y la sensación de que hay alguien que controla tu destino.

—¿Y qué piensas hacer? —le pregunté tras un largo silencio.

—No lo sé —me miró con unos ojos vacíos, desconcertado—. No podía sacarme esta historia de la cabeza. Estaba en mi despacho, en Reykiavik, y he venido hasta aquí porque presentía que algo me llamaba. Esta mujer, según me han contado, se enamoró de un soldado inglés en los años cuarenta en Reykiavik e hizo construir esta casa como un nido de amor, para vivir lejos de las miradas de todos. Debió de ser una historia muy romántica, pero ahora ya está muerta...

Dejé al arquitecto en la mesa, tomándose el café y esperando alguna señal del destino que le permitiera desentrañar el final de aquella historia, y proseguí viaje hacia Siglufjördur. Lejos ya de la carretera principal, el paisaje se fue haciendo cada vez más desolado. Acantilados rocosos, playas de arena negra, nubes, niebla y, en medio del fiordo, unas cuantas islas de aspecto amenazador.

Mientras daba vueltas a la historia que me había contado el arquitecto, recordé que había leído días atrás que en aquella región abundaban los seres ocultos. En Tindastóll, un imponente promontorio que se eleva junto a la costa, la gente del lugar afirma que viven monstruos, trolls y gigantes que en el pasado se atrevieron a secuestrar a alguna joven de la vecina población de Hólar. Esta región es, por otra parte, uno de los escenarios de la *Saga de Grettir*, una de las más dramáticas.

Grettir, que debió de vivir en el siglo IX, era un hombre fuerte que ya desde niño dio muestras de un carácter especial. En su juventud luchó contra un oso, contra un gigante y contra una troll. Él era el único que podía mantenerles a raya. También expulsó de una granja encantada al fantasma de un pastor muerto llamado Glámr. Para conseguirlo, se ocultó de noche en la cama de Glámr y cuando entró el fantasma ambos se enzarzaron en una pelea que les llevó fuera de la casa.

«En el exterior había una intensa luz de luna, pero intermitente —cuenta la saga—, porque había nubes oscuras que pasaban delante de la luna y después seguían su camino. En el momento en que Glámr cayó, las nubes se apartaron y Glámr miró hacia la luna. Grettir dijo más tarde que ésta fue la única visión que le asustó. Después, por culpa del cansancio y de la fiera mirada de Glámr, le sobrevino a Grettir una gran debilidad, hasta tal punto que no podía sacar su espada. Y se quedó allí, yaciendo más cerca de la muerte que de la vida.»

Al final, Grettir *el Fuerte* sacó fuerzas de flaqueza y consiguió cortar la cabeza de Glámr, pero el fantasma le lanzó una maldición: «Hasta ahora tus hazañas te han dado fama, pero a partir de ahora serás un fuera de la ley y tus actos te llevarán infortunios y desgracias. Te convertirás en un forajido y tendrás que vivir solo. Siempre verás ante ti mis ojos y esto convertirá tu soledad en insoportable, lo que te acabará llevando a la muerte».

La maldición surtió efecto y, tras una serie de intrigas, Grettir fue declarado fuera de la ley por el Althing. Se puso precio a su cabeza, sus propiedades fueron confiscadas y tuvo que huir a la montaña, donde vivió como un salvaje. Cuando intentaba dormir, veía los ojos de Glámr que le observaban y, aterrorizado, se veía obligado a permanecer despierto. La imponente isla de Drangey, a unos centenares de metros de donde me encontraba, fue escenario de una de las grandes hazañas de Grettir. Después de vivir muchos años como un forajido, Grettir se hizo llevar en barca hasta la isla, junto con su hermano de quince años y un esclavo. La intención de Grettir era quedarse allí para siempre, viviendo de los peces y de las aves. Un día, sin embargo, su esclavo tuvo un descuido y dejó que se apagara el fuego. Grettir vio que tenía que ir en busca del fuego a la costa, pero como no tenía barca, optó por ir a nado. Cada año, para conmemorar esta hazaña, algunos nadadores intentaban recorrer esta distancia de más de 5.000 metros en aguas muy frías. En la saga, se cuenta que Grettir regresó a la isla en barca, con el preciado fuego en su poder. Al ver que nadie conseguía acabar con él, sus enemigos, con Thorbjörn a la cabeza, recurrieron a una bruja que le lanzó una terrible maldición y le envió desde la costa un tronco con caracteres rúnicos. Al intentar cortar el tronco, Grettir vio cómo el hacha se desviaba e iba directa hacia su pierna. Herido y debilitado, Grettir fue incapaz de hacer frente a los enemigos que le asaltan. Le dieron muerte sin demasiados problemas, pero cuando Thorbjörn intentó quitarle la espada, se dio cuenta de que no podía, ya que Grettir la mantenía fuertemente asida. Thorbjörn ordenó entonces que le cortaran los dedos y la mano y, una vez con la espada de Grettir en su poder, le cortó la cabeza.

Para añadir un poco más de magia a este lugar encantado por la saga de Grettir *el Fuerte*, también hay en él una laguna misteriosa en la que se dice que hay una piedra mágica que flota cuando llega el Solsticio de Verano.

Intenté encontrar una relación entre aquellas historias y el relato del arquitecto, pero me perdí. Estaba entrando en una dimensión sobrenatural que me superaba. Volví al coche, pues, y continué conduciendo por aquel paisaje épico, entrando y saliendo de los fiordos y extasiándome ante los valles llenos de verde que iban a morir al mar. Tras pasar por el pueblo de Hofsós, la costa se hizo más escarpada y la carretera más sinuosa y solitaria. Era como un viaje iniciático hacia Siglufjördur, el puerto que durante unos años había sido capital mundial del arenque.

El último tramo fue sin duda el más difícil: una carretera estrecha, con la montaña cubierta de niebla a un lado y el acantilado al otro. De repente, un túnel de un único sentido con una puerta de madera —abierta por suerte— me indicó que no estaba lejos de Siglufjördur. Al otro lado del túnel, de 740 metros de longitud, apareció por fin, como una base secreta, un conjunto de casas arracimadas en torno a una iglesia. El fiordo estaba flanqueado de altas montañas que convertían el lugar en un escenario agobiante, en una especie de fin del mundo. La carretera terminaba allá. Después, sólo había rocas, acantilados, niebla, montañas nevadas y un silencio impresionante, como de siglos.

Tuve suerte en mi visita a Siglufjördur. En el Museo del Arenque, situado en un viejo almacén del puerto, estaban haciendo una demostración de cómo se lavaban y salaban los arenques en los años cuarenta, cuando Siglufjördur era la capital mundial del arenque y albergaba a una población de tres mil personas. Era como un viaje en el tiempo que permitía ver el trabajo que se hacía allí años atrás.

—Lo de ahora es tan sólo una demostración —me comentó uno de los asistentes—, pero lo cierto es que éste era un trabajo asfixiante. Lo sé porque mi madre trabajó aquí. Ya murió, pero siempre me contaba lo duro que era este trabajo.

En el interior del museo podía verse, a través de una serie de fotografías, objetos y camarotes y despachos reconstruidos, hasta qué punto llegó a ser importante la pesca del arenque en Islandia. Todo empezó hacia mediados del siglo XIX, con la llegada de inversores y pescadores noruegos interesados en la captura de los grandes bancos de arenques. Ellos fueron quienes construyeron las instalaciones y los muelles. La industria pesquera fue adquiriendo importancia y en el siglo XX los pescadores noruegos ya tenían varias bases en Islandia, entre ellas la de Siglufjördur. Los islandeses también se hicieron con una parte de las capturas y en 1916 ya exportaban 200.000 barriles de arenques salados. Poco a poco, la presencia noruega fue declinando y con la llegada de la Segunda Guerra Mundial aumentaron las exportaciones, ya que la flota pesquera islandesa fue una de las pocas que continuó en activo en Europa.

En 1911 se construyó la primera planta procesadora de arenques en Siglufjördur y con el tiempo este puerto se convirtió en el más importante de Islandia en cuanto a pesca se refiere. La ciudad creció, se construyeron casas, almacenes y factorías y a partir de 1950 se inició desde Siglufjördur una pesca sistemática de los bancos de arenque como nunca se había hecho anteriormente. Fueron éstos los años en que la población se convirtió en capital mundial del arenque. Eran tiempos de euforia en Siglufjördur, pero de repente todo cambió: a partir de 1969, los bancos de arenque, quizá por el exceso de capturas a que se les había sometido, abandonaron aquellas aguas.

—Desde entonces —resumió la guía del museo mientras mostraba una vieja foto con miles de barriles de arenques almacenados en el puerto—, este fiordo apartado vive de la memoria de tiempos mejores.

Mientras paseaba por las pocas calles de Siglufjördur me vino a la memoria un paisaje muy distinto: el de Iquitos, en el Amazonas. Las dos ciudades no tienen nada que ver —una está en el Trópico y la otra en el frío norte—, pero ambas conservan de algún modo ese rastro emocionante de los lugares donde estuvo el paraíso. Con el fin del monopolio del caucho, a finales del siglo XIX, Iquitos vio frenado su progreso y la arquitectura solemne de aquellos días queda tan sólo como recuerdo de un tiempo mejor. Lo mismo, a otro nivel, sucede con Siglufjördur. Terminada la gran época del arenque, la población tiene un aire fantasmal, con edificios como el viejo cine y los antiguos almacenes que se esfuerzan por sobrevivir a la decadencia.

Quise comprar arenques en el supermercado de Siglufjördur, pero una chica desdeñosa me dijo que no tenían, ni siquiera en conserva. Por lo visto, el arenque pertenecía definitivamente al pasado. Los pesqueros que aún seguían en activo en este puerto se dedicaban a la pesca de la gamba y del bacalao.

Se hacía tarde y prefería emprender cuanto antes viaje hacia Akureyri, donde tenía previsto pasar la noche. Al marcharme tuve la impresión de que Siglufjördur quedaba como una población olvidada, aletargada, a la espera de que alguien cerrara para siempre la puerta de aquel túnel de un único sentido.

## 22

## Un filete de ballena

Akureyri, la segunda ciudad de Islandia, tiene tan sólo 15.000 habitantes y está situada al fondo de un largo fiordo con aspecto de lago suizo, encajonado entre montañas cubiertas de verde y de nieve. La vida parece tranquila en Akureyri, mucho más que en Reykiavik. En las pocas calles que configuran el centro hay algunos edificios de piedra de la época danesa que destacan por su elegancia. El resto lo forman un barrio de casas unifamiliares que, a medida que la ciudad se encarama hacia la montaña, van cediendo el paso a un conjunto de grandes bloques de pisos construidos de prisa para acoger a los nuevos habitantes.

Lo primero que hice en cuanto llegué a la ciudad fue llamar al teléfono de contacto que me había dado Einar para poder disponer de un apartamento. Unos minutos después me encontraba en un bar del centro con un ciudadano islandés que sonreía de oreja a oreja y chapurreaba algo de castellano.

—Mi nombre es Águila Lobo —me dijo a modo de introducción y, al ver mi cara de extrañeza, añadió—: Bueno, en realidad me llamo Örnólfur, que traducido al castellano significa «Águila Lobo».

Guiado por la pericia de Águila Lobo, un islandés con nombre de rastreador apache, dejamos atrás el barrio señorial de Akureyri y nos dirigimos hacia la parte más alta de la ciudad, a un paso de las pistas de esquí. En uno de los últimos bloques de pisos estaba mi apartamento.

—Los dueños son unos músicos polacos —me explicó Águila Lobo—. Llegaron hace unos años en busca de un futuro mejor y se han adaptado bien a Islandia. En verano, sin embargo, regresan a su país para participar en conciertos al aire libre y durante este tiempo alquilan su apartamento a gente de confianza.

Mientras agradecía interiormente que se me etiquetara como «gente de confianza», Águila Lobo añadió:

—Vinieron aquí porque en Polonia todo el circuito musical se hundió tras la caída del comunismo. Son muy buena gente, además de buenos músicos. —Tras una breve pausa, continuó—: Yo también soy músico, pero a diferencia de ellos, me gustaría marchar de Akureyri.

—¿Y adónde irías?

—Para empezar a Reykiavik. Akureyri queda muy bien en una postal, pero es una ciudad muy aburrida.

En cuanto se fue Águila Lobo, procedí a una inspección a fondo de mi nuevo hábitat. Tenía dos habitaciones, cocina, baño y una gran sala. Ideal para pasar un par de días.

Instalarse en un piso en el que normalmente viven otras personas, de las que no sabes casi nada, es una sensación muy extraña. En una habitación de hotel se da por hecho que todos estamos de paso y, por otra parte, no sueles encontrar ningún rastro personal que indique quién durmió allí la noche anterior. En aquel apartamento, sin embargo, todo era muy diferente. Los ocupantes habituales habían retirado la mayor parte de sus pertenencias, que imaginaba guardadas en cajas de cartón en algún garaje, pero habían dejado algunos detalles que permitían reconstruir fragmentos de vida: las fotos de un niño de meses, unos cuadernos de ejercicios para violín, un par de libros en polaco y tres vídeos en inglés con subtítulos en islandés: *The Bodyguard*, *Titanic* y *While you were sleeping*. Aparte de esto, en el apartamento había los muebles mínimos, unos pocos utensilios de cocina y una nevera vacía. Con aquellos datos escasos, no conseguía imaginarme cómo eran los dueños, pero entreveía una triste historia de exilio en un país lejano y frío.

Me tumbé en la cama en cuanto acabé la inspección y me entretuve un rato haciendo *zapping* por los distintos canales de televisión. No hacían nada interesante y, para variar, los dos canales de siempre ofrecían informaciones contradictorias sobre el tiempo. Miré por la ventana: llovía. Aquélla era la información más fiable.

Bajé a cenar al centro. Solo. Había muy poca gente por las calles y el restaurante Bodin se ofrecía, con su abundante iluminación, como uno de los pocos lugares cálidos de la ciudad. Mientras me sentaba a una mesa junto a la ventana recordé una frase del explorador Van Troil escrita en 1772: «La forma en que los islandeses preparan su comida no puede procurar un placer especial». La verdad es que en Islandia no se come muy bien. En Reykiavik hay unos cuantos restaurantes internacionales bastante buenos, pero la cocina islandesa es, en general, más bien sosa, poco imaginativa. Tantos años de bacalao y patatas parece que la han llevado a un estancamiento. Sin embargo, de vez en cuando salta la sorpresa.

—¿Quieres una especialidad auténticamente islandesa? —me preguntó la camarera—. Pues has venido al sitio adecuado. Hoy tenemos bacalao, salmón, frailecillos o filete de ballena.

—¿Frailecillos? —pregunté. Eran unas aves de aspecto simpático, con plumaje de varios colores y un aparatoso pico amarillo que nunca habría dicho que pudieran comerse.

—Son unas aves encantadoras —me confirmó la camarera—, pero también se comen. Su carne es muy apreciada.

Pensé que comerse un frailecillo debía de ser algo así como comerse un animal de compañía o como despanzurrar un osito de peluche. Rechacé la oferta, pues, y me incliné por el filete de ballena. Al fin y al cabo, por simpáticas que caigan las ballenas, nunca podrán ser consideradas animales de compañía.

No puede decirse que el filete de ballena fuera el fruto de una cocina de gran nivel, pero se dejaba comer y tenía un toque exótico. Su sabor era parecido al del atún, y también el aspecto, aunque por supuesto no cometí la locura de pedir una rodaja entera. Felicité a la camarera por el plato y, con una sonrisa socarrona, comentó:

—Tendrías que regresar en invierno. Entonces es cuando comemos las más genuinas especialidades islandesas.

—¿Como por ejemplo?

—Pues, tiburón podrido y cabeza y testículos de cordero.

—¿Es un chiste?

—Claro que no: es la comida tradicional del Thorrablót, la fiesta en la que se celebra el fin del invierno.

—¿Y está bueno el tiburón podrido?

—Bueno, no es exactamente podrido. Se entierra durante unos meses hasta que fermenta. Tiene un sabor muy característico... A algunos extranjeros les resulta vomitivo, pero a nosotros nos encanta.

—¿Y qué le encontráis?

—Bueno, es una tradición y uno no pone en duda las tradiciones.

Prometí estudiar su propuesta en caso de que regresara en invierno, mientras por dentro pensaba que, al menos en lo que concernía a cuestiones gastronómicas, era sumamente improbable que lo hiciera.

Mientras me tomaba un café, entablé conversación con mis vecinos de mesa, unos norteamericanos que habían parado por un par de días en el cámping local. Estaban encantados con Islandia, habían hecho largas excursiones por las montañas y se habían bañado en lagos de agua caliente en zonas volcánicas. También tenían un excelente recuerdo de una salida que habían hecho a alta mar para poder contemplar ballenas.

—Parece mentira que un animal tan enorme pueda contener tanta poesía —dijo uno de ellos con la mirada perdida más allá de la ventana.

Yo me apresuré a esconder los restos de mi filete. Había rechazado el frailecillo para que no me tomaran por un salvaje comedor de osos de peluche, pero corría el riesgo de ser confundido con un horrible comedor de animales poéticos. Enormes, pero poéticos.

Las ballenas han tenido, desde siempre, una larga relación con Islandia. En la *Saga de Egil* ya se menciona que solían encontrar cetáceos varados en la playa y en las leyendas y cuentos populares aparecen a menudo estos animales. La ballena azul, actualmente una especie protegida en las aguas de Islandia, puede llegar a medir hasta treinta metros de largo y pesar 150 toneladas, y hay otras diez especies de ballenas. Las leyes islandesas permiten la caza restringida de ballenas bajo el eufemismo de «caza con fines científicos», lo que ha originado las protestas de organismos e instituciones internacionales. De todos modos, la cifra de capturas se ha reducido drásticamente en los últimos años: en 1979 se cazaron 440 ballenas en aguas de Islandia; diez años después, tras la imposición de una moratoria, la cifra bajó a 68.

Me perdí cuando intentaba regresar a casa. Todos los barrios de la parte alta parecían iguales: los mismos bloques de apartamentos, el mismo cemento, el mismo tipo de puertas y ventanas, los mismos coches en la puerta. Conseguí dar con mi apartamento después de más de media hora de dar vueltas por Akureyri. Cuando por fin llegué me sorprendió ver a la puerta de mi bloque, en plena calle, un par de bicicletas apoyadas contra la pared, sin candado de ningún tipo, y un cochecito de bebé. Aquella sociedad seguía siendo confiada al máximo. Para ellos, el único peligro, al parecer, estaba unos cuantos metros bajo tierra. En el fondo era como si estuvieran durmiendo encima de una olla a presión.

Me dormí en cuanto me tumbé en la cama. Soñé con una pareja de músicos polacos a los que no conseguía verles el rostro. Tocaban el violín en la cubierta de un ballenero, una música melancólica, dotada al mismo tiempo de una belleza sin igual y de una tristeza infinita. Llovía a cántaros y soplaba un viento terrible, pero ellos apenas si se inmutaban. No muy lejos del barco, un grupo de ballenas se movía al ritmo de aquella extraña música.

# 23

# El gran Snorri Stúrluson

El día siguiente lo dediqué a pasear, siempre bajo la lluvia, por los alrededores del lago Mývatn. Subir al borde de un cráter, entrar en una cueva volcánica o perderse por el misterioso bosque de lava de las inmediaciones es una sensación única. En más de una ocasión me pareció sentir sobre mí las miradas invisibles de los elfos, de los trolls y de otros seres ocultos. Y en más de una ocasión, también, me pareció que había sido transportado a través de un agujero en el tiempo al mundo de las sagas y de los singulares personajes que luchan por defender su honor y su dignidad frente a la adversidad. Unos cuantos días más en la isla y acabaría jurando, como muchos islandeses, que los elfos eran tan reales como los humanos.

Después de pasar dos noches en Akureyri emprendí el regreso hacia Reykiavik. Sin prisas, dispuesto a dejarme tentar por cualquier desvío que me pareciera interesante. De nuevo vi desfilar valles alargados y verdes, con caballos de aspecto travieso y corderos que parecían figurar en el paisaje por motivos puramente estéticos. Paré en algunos bares de carretera con ganas de que alguien me contara una de esas minuciosas historias islandesas, pero no encontré a nadie con ganas de hablar.

Cuando ya creía que el paisaje sería tan sólo una pura repetición de unos mismos motivos que volvían y volvían hasta la saciedad en una especie de ritual ensimismado, un cruce de carreteras me abrió la perspectiva de nuevas emociones. El cartel indicaba que aquella carretera estrecha llevaba hacia Reykholt y Barnafoss y, tras una consulta rápida a la guía, decidí que valía la pena llegarme hasta Barnafoss, un nombre que, traducido, significaba «Cascada de los Niños».

Llegué a Barnafoss por una carretera polvorienta que parecía alejarse definitivamente de la civilización. Era uno de esos caminos en los que, cada pocos kilómetros, te preguntas si has hecho bien en cogerlo y si no sería mejor dar media vuelta. Al final, sin embargo, la maravilla de la cascada me convenció de que no me había equivocado.

La Cascada de los Niños es otro de esos lugares que te remite a un mundo mágico, a una especie de realidad paralela que en Islandia parece convivir con la capa visible de la tierra. Las aguas que bajaban de la montaña surgían de repente, como de la nada, para desembocar en un cañón angosto en el que adquirían una coloración entre blanca y azul, como el hielo de los glaciares. Lo increíble de aquel paisaje era que las aguas no bajaban por la superficie de la montaña, sino que se filtraban por debajo de la capa de lava, a través de un sinfín de riachuelos subterráneos, y sólo al final, en los últimos metros, se dejaban ver, apareciendo bajo la lava por sorpresa, para desparramarse por encima de las rocas próximas al río. Allí, según una leyenda, dos niños habían caído a las aguas del río Hvítá desde un puente natural y, para evitar que volviera a suceder una desgracia parecida, los dioses habían destruido el arco principal de aquel puente de piedra.

Era aquél un lugar para inspirar todo tipo de cuentos y leyendas, un paisaje propicio para la imaginación de Tolkien o para el mundo encantador de las sagas. Unos kilómetros más allá, como si fuera una consecuencia lógica de aquel río misterioso, estaba la casa de Snorri Stúrluson, el más grande de los literatos y políticos de la literatura antigua de Islandia.

Snorri Stúrluson, nacido en el oeste de Islandia en 1179, pertenecía a una familia noble de la isla, la casa de los Sturlung. Se casó con una mujer rica de Borg y cursó estudios de jurista. A la edad de 35 años fue nombrado portavoz del Althing o Asamblea Legislativa. Era él quien debía recitar la ley de memoria ante los otros representantes del pueblo. Empezó a acumular riquezas y a viajar a otros países y «a partir de 1224 —escribe Borges—, Stúrluson se convirtió en el hombre más rico de Islandia. El más rico, el más ávido, pero también el más avaro y no el más valiente».

En el transcurso de un viaje a Escandinavia, en 1218, Stúrluson, en un acto de posible traición al pueblo, prometió al rey de Noruega que utilizaría su poder para que los islandeses aceptaran su soberanía. A su regreso a Islandia, olvidó la promesa y se dedicó a escribir varias obras importantes, entre ellas la *Edda Menor* y, probablemente, la *Saga de Egil*. El rey noruego, enfurecido por la promesa incumplida, firmó un decreto por el que pedía el regreso de Snorri Stúrluson a Noruega, «vivo o muerto». Sobrevino la guerra civil y el rico islandés reunió tropas para enfrentarse a las de los partidarios del rey. El noble Gíssur Thorvaldsson, que ya había matado al hijo de Snorri Stúrluson, llegó a la casa de éste con 70 hombres armados la noche del 23 de septiembre de 1241. Snorri se ocultó en el sótano, pero un monje reveló dónde estaba su escondite y un hombre llamado Arni Briskr («Arni *el Amargo*») lo mató con su espada.

En la vida de Snorri Stúrluson se mezclan historias de traiciones con sus méritos como literato y como político. No hay ninguna duda de que su grandeza está en lo que dejó escrito. Con la *Edda Menor* Snorri Stúrluson se propuso escribir un manual, destinado a los jóvenes poetas escaldas, en el que se reúnen los conocimientos necesarios para entender y componer este tipo de poesía, que en el siglo XIII ya estaba cayendo en desuso. Stúrluson rescató las viejas tradiciones y la mitología escandinava en unos tiempos en que el cristianismo ya reinaba definitivamente en Islandia.

En la *Edda Menor* se encuentran fragmentos de una gran fuerza, sobre todo en «La alucinación de Gylfi», en la que se habla de cómo eran las tierras del norte antes de la llegada de los humanos: «Estaban llenas de grandes masas de hielo y escarcha, y de ellas salían nieblas y vientos». Al principio el mundo sólo está poblado por dioses y gigantes. De la sangre de un dios se hizo el mar y de esta visión pagana surge un mundo hecho hasta el límite a escala humana: «La tierra fue hecha con su carne, las montañas con sus huesos; los peñascos y piedras los hicieron con sus dientes y muelas y con los trozos de los dientes que se habían roto». La creación culmina con la aparición de un hombre y una mujer, Askr y Embla, encarnados a partir de dos troncos.

Snorri Stúrluson escribió también la *Heimskringla*, una monumental historia de Escandinavia entre el siglo IX y 1177, formada por dieciséis sagas de reyes noruegos. Es también autor de la *Saga de los Ynglingos*, en la que narra la historia de los reyes de esta dinastía nórdica desde un orígen mitológico que parte de los dioses Odín y Freyr. También se le atribuye la *Saga de Egil*, que narra las aventuras del vikingo Egil Skallagrímsson, un héroe precoz que a los siete años ya mató de un hachazo a un niño de once. En York, Egil fue hecho prisionero por el rey de Inglaterra, que lo condenó a muerte. En su celda de reo, la noche antes de la ejecución, Egil escribió un poema de alabanza de su enemigo. Al rey le gustó el poema y lo dejó libre. En uno de los capítulos más conmovedores, Egil decide dejarse morir de hambre después de perder a su hijo. Su hija, mediante una estratagema, consigue que se rebele contra la muerte y que escriba una elegía por la muerte de su hijo. En los últimos capítulos de la saga, Stúrluson describe la vejez de este personaje excesivo. Ciego y sordo, Egil no puede evitar que la gente se ría de él. Al final, solo, sale montado a caballo de su casa, pero cae al suelo con tan mala fortuna que se mata.

Al cabo de los años, en Islandia se considera a Snorri Stúrluson una de las grandes figuras de los tiempos antiguos y en Reykholt, población que acoge actualmente un centro de estudios de las sagas, puede, todavía hoy, verse el baño de Snorri, una pileta circular, de cuatro metros de diámetro, que se llena con el agua procedente de un manantial de agua caliente. Hasta allí acuden muchos islandeses, deseosos de impregnarse del espíritu del escritor y de las sagas.

Auden escribió sobre los islandeses: «Su actitud hacia las sagas se parece a la de cualquier inglés medio hacia Shakespeare». Y es cierto: no hay islandés que no cite en un momento u otro alguna historia de las sagas, como si en ellas estuviera encerrado el auténtico corazón del país. Su vinculación con estos escritos es tan fuerte que cuando en 1971, veintisiete años después de la independencia del país, Dinamarca devolvió a Islandia los manuscritos de las sagas, una multitud se congregó en el puerto de Reykiavik para darles una emocionada bienvenida.

## 24

## Viaje al centro de la Tierra

No resistí la tentación, en mi camino hacia el sur, de desviarme hacia la península de Snaefellsnes. Allí se encuentra el volcán de Julio Verne, la famosa puerta del centro de la Tierra, y allí está de nuevo el rastro de algunas sagas islandesas. Mientras recorría aquellos caminos solitarios, lejos ya de la carretera principal, recordé una vez más el documento del profesor Arne Saknussemm citado por Julio Verne: «Desciende por el cráter del Snaefellsjökull cuando la sombra de Scartaris lo acaricie, antes de las calendas de julio, viajero audaz, y llegarás al centro de la Tierra. Yo lo hice».

Fui bordeando la costa, en medio de acantilados baldíos y poblaciones agazapadas, hasta llegar a Stykkishólmur, desde donde un ferry llevaba grupos de turistas hasta los fiordos de la Costa Oeste, otro paisaje propicio para las sagas. El puerto de Stykkishólmur, protegido por una roca inmensa, parece hecho a medida para una colonia de gigantes. En lo alto, un faro pintado de color naranja sirve de referencia a los pescadores y de mirador a los turistas para contemplar las numerosas islas. En una de ellas, según me contaron, se refugia de vez en cuando la cantante Björk, supongo que en busca de sus raíces islandesas.

En el bar del puerto había unas cuantas familias de turistas, la mayoría con niños de diseño: limpios, rubios y vestidos con marcas de moda. Comían y bebían mientras esperaban la llegada del ferry. Apenas entré en el bar me llegaron algunos retazos de conversación tópica —hablaban de volcanes y de tiendas—, pero preferí sentarme junto a un par de norteamericanos de aspecto hipioso que removían el té con parsimonia. Estaban hablando del Snaefellsjökull, la montaña mítica.

—Soñé con esta montaña hace unos años. No sabía dónde estaba, pero hace unas semanas vi una foto del volcán en una revista y supe que tenía que viajar a Islandia —me explicó él, con un entusiasmo digno de la mejor secta—. Allí tiene que haber la respuesta.

—La respuesta, ¿a qué? —pregunté, escéptico.

—A todo.

Ella, a su lado, sonrió. Me tomé un café y les dejé allí, contemplando una postal del volcán, con su silueta característica y su cumbre nevada: la tierra prometida de muchos colgados que veían en ella una montaña con extraños poderes místicos.

Cuando llegué a la localidad costera de Ólafsvík, a los pies del Snaefellsjökull, ya sabía que tenía que armarme de paciencia. El cielo estaba cubierto de nubes, llovía de un modo desganado y la niebla cubría por completo las montañas. La playa de

Ólafsvík, un suave arco de arena negra, tenía un aspecto poco acogedor y en el puerto, con la marea baja, los pesqueros anclados en los muelles parecían barcos diminutos, de juguete.

Me comí un bocadillo en un bar del pueblo, un local mínimo presidido por una foto del volcán. Los 1.446 metros del Snaefellsjökull se veían imponentes en la fotografía, pero se negaban a dejarse ver en la realidad.

—Hoy no es un buen día para excursiones —me dijo el camarero cuando le consulté sobre la posibilidad de subir al volcán—. Cuando hace sol se montan expediciones en 4 × 4 que llegan hasta muy arriba y se puede recorrer el glaciar en motos de nieve.

En el otro extremo de la barra, unos montañeros intrépidos se preparaban para ir hasta la cima del volcán.

—¿Con este tiempo? —les dije señalando la lluvia y el viento que azotaba la ventana.

—No hay otro —sonrió uno de ellos— y pronto nos iremos de Islandia. Si todo va bien, son cuatro horas hasta llegar al hielo.

—Pero la niebla no os dejará ver nada —objeté.

Ellos se limitaron a sonreír.

—Al menos habremos estado allí —dijo uno de ellos—. Sentiremos la energía del volcán bajo nuestros pies.

Eran alemanes y estaban decididos a subir al Snaefellsjökull. Estaba claro que nadie les haría desistir de su empeño. ¿Qué tenía aquella montaña para mover tantas voluntades? ¿Qué había visto en ella Julio Verne? ¿De dónde había sacado el misterioso manuscrito del inicio, el que indicaba que por allí se entraba al centro de la Tierra? Según el biógrafo Herbert Lottman, Verne, que nunca estuvo en Islandia, escribió esta novela en 1864 movido por la fascinación que le producían los volcanes y por los descubrimientos científicos de la época. Poco después de la publicación del libro, sin embargo, el diario *Le Figaro* publicó una carta en la que un tal René de Pont-Jest acusaba a Verne de plagio. Según Lottman, «Pont-Jest, en efecto, había escrito lo que él llamaba un "cuento filosófico", cuyo título era "La cabeza de Mimers", que había aparecido en la *Revue contemporaine* en septiembre de 1863. El protagonista del cuento descubre un antiguo manuscrito rúnico que revela el lugar donde está enterrada, en la cumbre de una montaña noruega, la cabeza de un sabio. Se hallan en esa cabeza los secretos de la ciencia universal y quien la encuentre podrá poseerlos».

Por lo visto, los caminos de la ciencia esotérica eran largos y confusos. Nadie sabía explicar a qué se debía la fama de aquel volcán, pero eran muchos los que creían en él con una fe ciega. Una hora después vi cómo los intrépidos alemanes se cubrían con un anorak y se colocaban la mochila a la espalda. A través de la ventana vi cómo avanzaban con pasos monótonos hacia la montaña, en dirección a la niebla.

—Son muchos los que vienen aquí obsesionados por la montaña —me comentó el camarero—. Quieren subir como sea. Están convencidos de que este volcán proporciona una energía que proviene de las entrañas de la Tierra.

Pensé de nuevo en Julio Verne y en su extraña ruta que llevaba al corazón de la Tierra y, después, hasta Sicilia. Estaba meditando cuál iba a ser mi siguiente movimiento —si quedarme a la espera de que el tiempo mejorara o si regresar a Reykiavik—, cuando entró en el bar un hombre de larga barba y mirada afilada que se presentó como Erik. Minutos después, mientras tomábamos un café, me empezó a hablar de la vieja religión vikinga, de sus dioses y de sus ritos.

—Hay quien cree que los dioses paganos son cosa del pasado —dijo casi en un murmullo—, pero aún hay mucha gente que cree en ellos.

Convencido de que había caído en manos de un iluminado, lancé una mirada al camarero en busca de socorro, pero el hombre ignoró mis requerimientos e, imperturbable, siguió ordenando tazas y vasos.

—La religión pagana se llama Ásatrú, que significa «fe en los Aesir», o sea, fe en los dioses de la Escandinavia precristiana, y su líder es un hombre llamado Jörmundur Ingi —me informó Erik sin sonreír en ningún momento—. Él es un ingeniero industrial que hoy lidera nuestra religión.

Como prueba de que lo que estaba diciendo tenía una base, Erik me mostró un folleto con una foto del ciudadano islandés Jörmundur Ingi. Iba vestido con corbata y gabardina y tenía el pelo blanco, una barba cuidada, unos bigotes con las puntas hacia arriba y una mirada incisiva. El gran medallón colgado de su cuello era el único indicio de que el hombre no era un ingeniero normal.

La moderna religión Ásatrú se inspira en la vieja religión pagana y surgió con fuerza en los años setenta en Islandia, Estados Unidos y el Reino Unido. Sus dioses principales son Tor, el dios del Trueno; Odín, dios de dioses, poeta y mago; Týr, el dios de la guerra y de la justicia; Ingvi Freyr, el dios de la paz, la fertilidad y la naturaleza; Baldur, el dios blanco; Heimdallr, el Guardián de Ásgard: Frigg, la mujer de Odín y madre de los dioses y de la humanidad, y Freyja, la diosa de la fertilidad, del amor, de la magia y de la guerra. Los dos principales rituales de Ásatrú son el «sacrificio» y el «brindis». El sacrificio se hace con vino, cerveza o sidra, que se consagran a los dioses y se pasan después a los participantes para que se lo beban. El brindis se suele hacer en tres rondas: la primera está dedicada a Odín; la segunda, a los antepasados; y la tercera, a quien merezca el honor de entre los presentes.

—Ásatrú emerge de la naturaleza y de nuestra cultura —me ilustró Erik con el ceño fruncido, indicando que no estaba para bromas—. Nosotros, los paganos, tenemos claro que hace mil años no había diferencia entre cultura y religión. Todo era lo mismo. El paganismo es una religión natural, porque está en la cabeza de cada individuo. Lo que pasa es que cuando la gente vive en las ciudades pierde la relación con la naturaleza y se corrompe.

Le recordé a Erik que Islandia se convirtió al cristianismo en el año 1000, pero el hombre rechazó mi objeción con un gesto de desprecio.

—No creo que Islandia se convirtiera nunca al cristianismo —zanjó la cuestión—. Fue, simplemente, una decisión política. La gente siguió adorando a los dioses paganos en privado.

—¿Crees que aún hoy adoran a Odín y a Tor?

—Los dioses están dentro de la cabeza de cada uno. Son como representaciones de las leyes de la naturaleza. En cualquier caso, nuestra religión se basa en las nueve virtudes: valentía, honor, autenticidad, lealtad, hospitalidad, trabajo, perseverancia, autodisciplina y confianza en ti mismo.

El hombre hablaba tan en serio y con tanta seguridad de los viejos tiempos y de las viejas creencias que pensé que podría explicarme la verdad sobre el Valhalla, el mítico paraíso de los vikingos.

—El Valhalla era un paraíso específico para los guerreros —me indicó—. Sin embargo, en los viejos libros se habla de doce lugares en los que viven los dioses. Hay cielos muy distintos.

—¿Y qué hay de los seres ocultos? —le pregunté, dispuesto a aclarar todas mis dudas sobre los elfos.

—Son también una personificación de la naturaleza. La naturaleza y los hombres estamos mucho más unidos de lo que piensan los habitantes de las ciudades.

—¿Tú también crees que el Snaefellsjökull es una montaña mágica? —le pregunté mientras contemplaba la cortina de niebla.

—Por supuesto —respondió con una sonrisa—. Toda la isla atesora mucha energía, pero este volcán más que ningún otro lugar.

Recordé en ese momento que Borges había viajado tres veces a Islandia, un país que le fascinaba. Tanto le gustaba esa isla remota que él decía que había hecho, citando a William Morris, «tres peregrinaciones a Islandia» y no tres viajes. Acudió allí porque le encantaban las sagas y los textos antiguos y en uno de sus viajes conoció a un sacerdote de las antiguas divinidades paganas. Se trataba de un pastor de ovejas altísimo, de barba poblada, que vivía rodeado de huesos de formas extrañas y que celebraba la fiesta del Equinoccio de Verano, como en los viejos tiempos. «Me conmovió tanto estar con alguien que adorara o que profesara el culto de esos dioses —explicó Borges—. Actualmente (esta religión) cuenta con trescientos fieles todavía; toda gente muy ignorante, que sin duda ignora la mitología, que sólo guardan los nombres de los dioses. Me conmovió tanto esto que creo que lloré.»

Con el paso de los años también la religión había cambiado en Islandia. La imagen del sacerdote pagano no era ahora la de un pastor ignorante, sino la de un ingeniero industrial con corbata y gabardina. Los viejos dioses vikingos, Odín y Tor, debían de estar removiéndose en sus territorios del más allá.

Cuando Erik se fue, desistí de esperar a que mejorara el tiempo. No tenía ninguna urgencia para subir al volcán y, por lo que sabía de las nubes islandesas, aquella lluvia persistente podía seguir descargando durante días y días. Por otra parte, en los últimos días había aprendido que todo en

Islandia tiene una dimensión sobrenatural, algo que va más allá del paisaje y se mete en el interior de las personas. Me compré una postal del volcán, en la que éste aparecía soleado e imponente, y emprendí el viaje de regreso a Reykiavik.

Llegué a la capital hacia las diez de la noche, acompañado de la misteriosa luz de medianoche, y fui a tomar una cerveza con Einar. Era mi último día en Islandia y no paramos de brindar por su hija, por su país, por mi novela inacabada y por nuestra amistad.

—Tienes que regresar en invierno —me dijo en un momento dado.

—¿Por qué? —pregunté riendo.

—Te encontrarás con un país distinto. En invierno todo es diferente. La noche es muy larga, la nieve lo cubre todo y la gente se recluye en sus casas. Suena a aburrido, pero tiene su atractivo. Si no vuelves en invierno sólo habrás visto la mitad de Islandia.

Le dije que me lo pensaría, aunque en mi interior dudaba mucho que lo hiciera. Cuando regresé a mi casa de Laugardalur, vi que un hombre con aspecto de ejecutivo aparcaba su coche junto al parque, sacaba un palo de golf y unas cuantas bolas y se ponía a practicar el *swing*. Eran las doce de la noche. Lo estuve observando como si fuera un absoluto contrasentido, pero a aquellas alturas del viaje ya sabía que las cosas más extrañas pueden suceder en Islandia, un país en el que, en verano, la luz permanece encendida durante toda la noche.

Al día siguiente subí al avión para regresar a Barcelona. Soplaba un fuerte viento racheado que hacía que la lluvia cayera por todas partes. Cerca del aeropuerto nos detuvimos con Einar para auxiliar a unos ciclistas a los que el viento había lanzado contra el suelo. Eran franceses y no podían creer que la climatología les fuera tan adversa en su primer día en la isla. Sonreí mientras recordaba el desengaño que me había llevado a mi llegada. Aquel viento, aquella lluvia, aquellos campos de lava, aquella desolación... Con el tiempo, sin embargo, tal como había vaticinado Einar, había sabido descubrir el encanto de aquella isla inhóspita, el magnetismo oculto bajo las rocas volcánicas. Mi verano islandés llegaba a su fin.

# V

# REGRESO EN INVIERNO

# 25

# La playa de hielo

De vuelta a Barcelona, terminé por fin mi novela sobre Zanzíbar y, en cuanto volví a disponer de tiempo, regresé a la lectura de las sagas. Me familiaricé con los Björn, Njal, Egil, Grettir, Tor y compañía y me descubrí un día echando de menos aquella isla sin árboles y poblada de fiordos, glaciares, volcanes y géiseres. Revisé las fotos y las notas del verano anterior y me sorprendí fijándome, cuando daban la información del tiempo, en la temperatura que hacía en Reykiavik. Fría, siempre muy fría. De vez en cuando, recibía un e-mail de Einar que me informaba de lo que estaba pasando por la isla. No mucho, la verdad. Islandia estaba en plena hibernación.

A principios de enero me acordé de lo que me había dicho Einar —«Si no vuelves en invierno sólo habrás visto la mitad de Islandia»— y pensé por primera vez en la posibilidad de regresar a Reykiavik. Y si... Pero no: dejé pasar la tentación —era caro y complicado— y me sumergí en el trabajo y en la monotonía del día a día. De vez en cuando, sin embargo, pensaba en lo maravilloso que debía de ser presenciar una aurora boreal sobre el cielo de Islandia. Había visto fotos y reportajes de televisión, pero sabía que nada podía sustituir a una aurora boreal en directo.

Pasaron los días sin que adoptara ninguna decisión, como si en el fondo supiera que la Islandia invernal era tan sólo un imposible para soñar despierto. A primeros de febrero, sin embargo, Teresa me preguntó cómo pensaba celebrar mis cincuenta años. «Ni idea», respondí sinceramente. «¿No hay nada que te haga una ilusión especial?», insistió. «¿Quizás algún viaje?» En ese momento se me encendió la luz: me encantaría ver una aurora boreal en Islandia. Ella sonrió y me dijo que a ella también le gustaría. Aquel mismo día envié un e-mail a Einar en el que le preguntaba: «¿Qué posibilidades hay de ver una aurora boreal en Islandia entre el 10 y el 20 de febrero». La respuesta de Einar fue rápida y concisa: «Las posibilidades son altas, siempre que vengas a Reykiavik. Para contemplar la aurora boreal se precisa un cielo despejado, un clima muy frío y un punto situado muy al norte. Reykiavik está bastante al norte y las noches son muy frías en esta época. He consultado tu petición con el servicio meteorológico y me han respondido que, si estás una semana de febrero en Islandia, es muy probable que veas la aurora boreal».

Me lié la manta a la cabeza y, junto con Teresa, decidimos comprar dos billetes para Islandia. Durante los días previos al viaje, me imaginaba un país totalmente distinto a la Islandia que ya conocía, con un paisaje nevado, blanquísimo, con muy poca luz diurna y con un frío extremo. Sin embargo, a la llegada al aeropuerto de Keflavík me llevé la primera desilusión: la temperatura era de cinco grados (más alta incluso que cuando llegué en verano), sólo había nieve en las montañas y la oscuridad no era tan densa como había imaginado.

Einar, que nos esperaba en el aeropuerto, me tranquilizó con su habitual optimismo:

—Está todo arreglado —me dijo con una sonrisa—. En los próximos días tendrás nieve en abundancia y podrás ver la aurora boreal.

—¿Cómo puedes estar tan seguro?

—Ya sabes que aquí en Islandia somos un poco brujos —me guiñó un ojo—. He pagado una buena cantidad de dinero a una vidente que puede conseguirlo todo... Por otra parte —añadió tras un ligero carraspeo—, en el servicio meteorológico han anunciado que nevará en abundancia a partir de mañana por la noche.

En el trayecto hacia Reykiavik, el paisaje era de nuevo el de siempre: un inmenso campo de lava, sin árboles, sin nada y con una desolación infinita... Teresa, que lo veía por primera vez, lo contemplaba en silencio, sin atreverse a romper la magia del momento. Eché de menos la silueta del Snaefellsjökull, oculto entre las nubes. ¿Era un mal augurio? ¿Significaba que no éramos bienvenidos a la isla?

Mientras conducía, Einar nos informó de las novedades registradas en nuestra ausencia. Entre las más destacables estaba que había terminado una obra de teatro y que su hija ya gateaba.

Nos dejó en mi casita de Ikea, que continuaba igual que siempre, como si no hubiera vivido nadie en ella desde mi marcha siete meses atrás. La única novedad era que la casa estaba muy caliente.

—Veo que la calefacción, en Islandia, va en serio —comentó Teresa.

—Si no funcionara —sonreí—, no tendrían más remedio que emigrar todos.

Abrí el grifo de la ducha para volver a oler aquellas aguas sulfurosas, encendí la televisión para asistir a las contradicciones de la información del tiempo y eché un vistazo a la nevera: estaba vacía. Todo era más o menos como en verano, excepto la vista desde la ventana: el parque tenía un inequívoco aspecto invernal, con el césped quemado por el frío, los árboles sin hojas y nadie que paseara por sus senderos.

Para contribuir al desánimo, aquella noche abrí un libro sobre Islandia al azar y me encontré con esta frase escrita por el viajero inglés Ebenezer Henderson en 1818: «Reykiavik es sin duda el peor sitio de Islandia en el que se puede pasar un invierno. Desde un punto de vista social el tono es lo más primitivo que imaginarse pueda».

El primer día pasó con más pena que gloria. La poca gente que caminaba por las calles del centro tenía cara de frío, los bares funcionaban a medio gas y la oscuridad caía tan pronto que apenas si había tiempo para disfrutar de la luz diurna. Disfruté, sin embargo, enseñando la ciudad a Teresa, recorriendo los bares que frecuentaba en verano, subiendo al campanario de la catedral o paseando por el lago helado del Ayuntamiento.

Cuando regresamos a casa, después de comer algo rápido en el Kaffi Brennslan, sonó el teléfono. Era Einar.

—Mañana, para celebrar tu cumpleaños, iremos a cenar a un sitio muy especial —nos anunció—. Comeremos una cena típica vikinga. Seguro que os gustará.

Me acordé de repente de aquella camarera de Akureyri que me había hablado del tiburón podrido como una exquisitez de la comida invernal de Islandia y me entraron serias dudas sobre la conveniencia del lugar elegido por Einar. Sin embargo, nos dejamos llevar.

A la mañana del día siguiente, aprovechando un sol tímido que asomó por unos minutos entre las nubes, me fui con Teresa a la playa termal. La había encontrado tan surrealista en verano que tenía ganas de verla en invierno. Atravesamos en autobús aquella ciudad con aspecto de cerrada por hibernación y bajamos en una parada cerca del aeropuerto de vuelos interiores, a pocos metros de la bahía.

La playa me volvió a sorprender, aunque en esta ocasión por motivos muy distintos. La arena seguía allí, pero no había ni piscinas de agua caliente ni niños chapoteando. En invierno las instalaciones permanecían cerradas y la soledad se adueñaba del lugar. La sorpresa, sin embargo, llegó cuando vi que la arena estaba llena de trozos de hielo. El frío hacía que el agua se congelara donde atacaban las olas y se formaba una increíble corona de hielo encima de la arena.

—Una playa de hielo... —murmuré, mientras Teresa se echaba a reír.

Hacía mucho frío, unos cuantos grados bajo cero, y mientras andábamos, encogidos y con la cabeza baja, era como si nos clavaran agujas en los pómulos. La visión de la playa de hielo era la pura expresión de aquella ciudad nórdica que, en verano, se empeñaba en soñar que era una ciudad mediterránea.

Por la tarde, buscando un lugar agradable donde refugiarnos, fuimos a visitar a Einar a su casa. Margrét estaba encantadora, como siempre, y la pequeña Arna Björk había crecido como una buena vikinga. Brindamos por ella y recordamos viejas anécdotas.

—¿Te acuerdas de nuestro atajo por la montaña? —me preguntó Einar con la mirada iluminada—. La cara que puso aquella mujer cuando nos vio culminar la cima en un Golf... Fue desternillante.

—¿Dónde se esconde la gente en invierno? —pregunté en cuanto terminamos de reír—. No veo a nadie por la calle.

—¿Quieres saberlo? —reaccionó Einar poniéndose una chaqueta—. Acompañadme y lo veréis.

Subimos a su coche y unos minutos después Einar aparcaba en las afueras de Reykiavik, a las puertas de un centro comercial.

—¡Bienvenidos a Smáralind! —nos dijo—. No hace mucho que se ha inaugurado, pero ya tiene mucho éxito. Los arquitectos creen que es debido a su diseño acogedor, pero el auténtico motivo es que, visto desde el aire, tiene forma de pene.

—¿De pene? —repetí—. ¿Como los del Museo Falológico?

—Exacto. Debe de ser algo muy islandés. En el museo exponen ahora varios dibujos de Smáralind. Puede verse el centro comercial en versión fláccida, en versión erecta y en versión lanzamiento de fuegos artificiales.

Entramos en el centro por la puerta que Einar definió como «del escroto» y avanzamos por el pasillo central siguiendo un dibujo sinuoso que, según Einar, era evidente que marcaba el camino de salida del semen.

—¡Somos espermatozoides en busca de una oportunidad! —celebró, riendo.

Más allá de la visión erótica del nuevo centro, llamaba la atención ver la cantidad de gente que había en él. Los ciudadanos de Reykiavik se refugiaban en los centros comerciales para huir del frío y para burlar el invierno. En el fondo, Smáralind jugaba el mismo papel que la playa termal en verano. Se trataba, una vez más, de olvidar que Reykiavik es la capital situada más al norte de todo el mundo, en una isla remota, repleta de volcanes y de glaciares. Se trataba, de hecho, de demostrar que Islandia, a pesar de todos los pesares, es un país habitable.

## 26

## Vikingo de honor

Hacia las seis de la tarde nos dirigimos en taxi hacia Hafnarfjördur, la ciudad de corazón vikingo situada a escasos minutos de Reykiavik. Einar había organizado una emotiva cena familiar y llegó acompañado de su madre, de su hermana y de su cuñado. Margrét no pudo venir porque no se encontraba bien. Por si había olvidado la famosa endogamia islandesa, tuve ocasión de asistir una vez más a una de sus manifestaciones cuando el taxista y la madre de Einar se fundieron en un largo abrazo.

—No creas que lo de besar al taxista es una tradición islandesa —me aclaró Einar—. Estudiaron juntos de niños y hacía tiempo que no se veían.

El cielo estaba muy oscuro. Parecía que iba a ser otra noche gris en aquel lugar frío y remoto, pero de repente sucedió algo mágico. En el camino hacia Hafnarfjördur empezó a caer una nieve pausada que parecía envolverlo todo en un manto de silencio y de blancura.

—¿No te lo dije? —sonrió Einar—. Está todo preparado para que tengas un cumpleaños como querías.

Eché un vistazo por la ventana, pero no conseguí ver a ningún elfo que se estuviera riendo de mí.

El restaurante elegido por Einar era, efectivamente, un sitio muy especial. Se llamaba Viking Village y venía a ser el equivalente islandés a esas borracherías de la costa donde los turistas se hinchan a comer paella y beben sangría hasta que les sale por las orejas. Estaba instalado en una casa con las paredes, el suelo y el techo forrados de madera y con estatuas de vikingos por todas partes.

Al entrar, un hombretón vestido de vikingo, con un espectacular casco cornudo y armado con un hacha, lanzó un grito gutural y nos dio un susto con denominación de origen vikinga. A continuación, se supone que para tranquilizarnos, soltó una carcajada a juego.

—¡Bienvenidos al Viking Village! —rezongó.

Mientras nos sentábamos en la mesa, me pregunté qué concepto de mí debía de tener Einar. ¿Por qué había elegido aquel restaurante para celebrar mi cumpleaños? ¿Me consideraba acaso un rudo vikingo camuflado? ¿Tenía ganas de verme inmerso en una cutrada insuperable?

La decoración del restaurante era, por supuesto, vikinga; los camareros iban vestidos de vikingos y un cantante ataviado de vikingo se paseaba de mesa en mesa desgranando aguerridas canciones vikingas.

—¿Qué te parece? —me preguntó Einar, encantado con aquel ambiente.

—Pues... muy vikingo —respondí tras unos instantes de duda.

—Exacto —aprobó, como si aquello fuera una buena señal—. Espera a ver la comida...

Preferí no pensar en ello. Los clientes —en su mayoría islandeses, aunque también los había de otros países nórdicos— se hacían fotos sentados en el gran trono de piedra volcánica que presidía la sala principal. Estaba lleno de inscripciones presuntamente rúnicas y tenía a su alrededor unas cuantas pieles de oso. En el centro del restaurante, encima de una gran barca, había dispuesto en plan bufé todo tipo de manjares vikingos.

—Estáis de suerte: estamos en el Thorrablót —nos indicó la madre de Einar con una sonrisa de satisfacción.

El Thorrablót es la gran fiesta del final del invierno. Sus orígenes son paganos y recuerda los tiempos en que los vikingos festejaban la inminente llegada de la primavera. Para ello, sacaban todos los manjares que habían ido acumulando a lo largo de los meses de invierno y se los zampaban en medio de una gran comilona. Con unos orígenes como éstos, es evidente que nadie puede esperar manjares delicados. Las especialidades del Thorrablót son más bien un poco primitivas: pescado seco, tiburón podrido, testículos de cordero, morcillas de sangre y cabezas de cordero, con ojos y cerebro incluidos.

Teresa y yo nos pusimos en la cola para poder servirnos aquellas *delicatessen*. Lo que más me llamó la atención, en una primera valoración de urgencia, fue la gran cantidad de cabezas de cordero desparramadas por la barca-mostrador. Estaban cortadas a lo largo, con los ojos centelleantes y unos agujeros angustiosos en el lugar donde estaban los cuernos.

—¡Y ahora! —exclamó Einar, eufórico ante aquel panorama—. ¡A comer como vikingos!

Tanto Teresa como yo nos llenamos el plato. Mejor dicho, fingimos que nos lo llenábamos, pero dejando de lado los alimentos menos apetecibles. Einar y su cuñado, sin embargo, atentos a la jugada y dispuestos a enarbolar hasta el fin la bandera vikinga, se dieron cuenta de la trampa y nos obligaron a servirnos sendas cabezas de cordero y unas buenas raciones de tiburón podrido.

—La tradición es la tradición, amigo —me dijo Ásgeir, el cuñado, mientras yo empezaba a pensar que más que una cena de cumpleaños aquello era una auténtica encerrona.

Para redondear la jugada, nos pusieron a cada uno un ridículo casco vikingo de cartón y, convenientemente ambientados, empezamos a beber cerveza. Por un momento me sentí sumamente penoso, pero me animé cuando vi que todos los clientes del restaurante cumplían con el mismo entrañable ritual. De entre todos los grupos, el que más llamaba la atención era el de unas cuantas mujeres —todas rubias, altas y fuertes—, que según Ásgeir tenían cara de asesinas. La verdad es que asustaban un poco: tenían hombros anchos y muslos potentes e iban vestidas de auténticas vikingas, con malla de acero, escote insinuante y una aparatosa capa roja.

—¿Quiénes son esas distinguidas señoritas? —le pregunté a Einar.

Tras una rápida consulta al camarero, me aclaró su procedencia: eran un grupo de atletas suecas que habían venido a Islandia para participar en un concurso de *body building*. Eran, sin duda, una selecta compañía para celebrar mi cumpleaños.

Otro grupo que animaba la sala con su presencia era un equipo de televisión que no paraba de grabar. Para refrendar la famosa endogamia islandesa, uno de sus miembros era primo de Ásgeir.

—Estamos haciendo un reportaje para un canal inglés llamado Euro Trash —le explicó.

—El nombre promete —aprobó Ásgeir—. ¿Y de qué va?

—Se dedica a enseñar los lugares más cutres del continente y este local ha sido elegido para representar a Islandia.

Era un alto honor, ciertamente, saber que mi rostro coronado por un ridículo casco vikingo aparecería en un canal temático de cutradas. Se lo agradecí vivamente a Einar, aunque pronto me di cuenta de que el principal foco de interés de los televisivos eran las señoritas vikingas de la mesa contigua.

Corrió la cerveza mientras comíamos. La verdad es que daba un poco de asco ver cómo los islandeses se zampaban con fruición el ojo y el cerebro, las partes más preciadas de la cabeza del cordero, pero el secreto consistía en mirar hacia otro lado. Los testículos no sabían mal, pero el tiburón podrido, con un fuerte sabor a amoniaco, se llevaba el premio al alimento más vomitivo. Sólo ponértelo en la boca te asaltaban unas intensas arcadas. Van Troil, que visitó el país en 1772, escribió con sutileza: «Este plato (el tiburón podrido) tenía un sabor tan desagradable que la pequeña ración que de él tomamos hizo que nos levantáramos de la mesa mucho antes de lo que habíamos pensado».

—El sabor es un poco fuerte —aceptó riendo Einar—, pero esto se arregla bebiendo después un buen trago de Brennivín.

El Brennivín es el aguardiente local, hecho a base de patatas y con una graduación muy alta. Se le conoce como Black Death (Muerte Negra), lo que da idea de sus efectos devastadores.

Einar, cada vez más animado, fue pidiendo nuevas tandas de cerveza, hasta que el ambiente llegó a ser parecido al de una fiesta con sangría en Lloret o en Benidorm, pero en plan vikingo. Sólo faltaba que alguien diera por abierto el concurso Miss Camiseta Mojada. Si se animaban las hercúleas damiselas vikingas estábamos perdidos.

Cuando los efluvios de la cerveza ya eran más que notorios, decidí salir a airearme al exterior. El aire era frío y caía una intensa nevada que lo estaba cubriendo todo de un blanco perfecto. El paisaje estaba quedando precioso, digno de la mejor tarjeta de Navidad. A mi lado, sin embargo, una chica inglesa se empeñaba en borrar el romanticismo del momento vomitando apasionadamente sobre la nieve.

—La culpa la tiene ese maldito tiburón podrido —la justificó la amiga que le sostenía la frente.

—Y el Brennivín... —añadió ella con la mirada vacía.

Cuando regresé al restaurante me di cuenta de hasta qué punto se había animado la fiesta. Algunos islandeses bailaban encima de las mesas y se lanzaban comida desaforadamente. De vez en cuando, supongo que para demostrar que seguían controlando la fiesta, un vikingo con armadura se paseaba por el restaurante y descargaba sobre las mesas aparatosos golpes de espada que, lejos de asustar al personal, levantaban una nueva salva de carcajadas.

—Un sitio encantador, ¿no? —nos abrazó Einar.

Teresa y yo asentimos con una sonrisa hipócrita. Nos consolábamos pensando que pronto acabaría aquel fiestorro vikingo, pero cuando los cantantes se acercaron a mi mesa para obsequiarme con el «Happy Birthday», me sentí centro de todas las miradas y me temí lo peor. Las sospechas, por desgracia, se confirmaron minutos después: los camareros retiraron la barca del centro del restaurante, improvisaron un escenario y llamaron a unos cuantos clientes con la intención de nombrarlos con el glorioso título de «Vikingos de Honor». Salimos tres al centro de la pista: un hombre con aspecto de oficinista de banco en plena juerga, una de las forzudas señoritas vikingas y... yo. Mientras escuchaba, sin poder reaccionar, cómo pronunciaban mi nombre, Einar me susurró al oído que era él quien había tenido la genial idea. ¡Uf! Con amigos como Einar, pensé, ¿quién necesita enemigos?

Los tres elegidos procedimos a arrodillarnos ante un vikingo pertrechado con armadura y casco. Lo primero que hizo fue retirarnos de un certero golpe de espada nuestros ridículos cascos de cartón.

—Parecéis turistas con esto —nos riñó—, ¡y los vikingos son algo muy serio!

A continuación, recitó una serie de frases en islandés y puso la espada plana sobre cada uno de nosotros; primero en los hombros y después en la cabeza, como si siguiera el ritual de una ceremonia.

—¡Mátalos a todos! —oí que gritaba Ásgeir, envalentonado por el alcohol. A su alrededor, el coro de vikingas insistía en que no tenía que quedar nadie vivo.

Por suerte, el vikingo que oficiaba se sintió generoso y se limitó a nombrarnos «Vikingos de Honor» y a otorgarnos un diploma acreditativo. El único incidente destacable llegó cuando leyó mi nombre con una mueca de asco, como si se hubiera tragado un buen pedazo de tiburón podrido.

—Tu nombre no es lo suficientemente vikingo —escupió de mala gana en inglés—. Si quieres ser un vikingo de verdad, bébete este cuerno de Brennivín.

Obedecí, por supuesto, mientras él sonreía en señal de aprobación.

—A partir de ahora te llamarás Ragnar —me anunció—. Puedes elegir a la mujer que quieras del restaurante para hacer el amor y comportarte como un auténtico vikingo.

Cuando me di la vuelta para estudiar mis posibilidades de elección vi al coro de culturistas suecas, borrachas y con el rostro enrojecido, suplicando a gritos que las eligiera a ellas. Si aquello era el Valhalla...

Regresé a mi mesa y le di un beso a Teresa, mientras Einar y su familia me recibían alborozados como un «hermano vikingo».

—Te han dado un bonito nombre —me golpeó en la espalda Ásgeir, como si saludara a un auténtico guerrero vikingo—. Ragnar significa «el que pronuncia las últimas palabras», pero no tengas prisa en decirlas, porque según la tradición el mundo se acabará cuando las digas.

Einar, eufórico, se puso a bailar como un autómata mientras proclamaba que era muy feliz y que amaba a todo el mundo. Las agraciadas señoritas vikingas, no muy lejos, bebían y reían, cada vez más lanzadas. Miré a Teresa, que también fue rebautizada con un nombre vikingo —Halla—, y ambos nos echamos a reír.

—Si lo que querías era una fiesta original de cumpleaños, no puede negarse que la has tenido —me dijo entre risas—. Te acordarás de tu iniciación vikinga durante mucho tiempo.

—Todavía nos falta la aurora boreal —le dije, recordando el auténtico objetivo de nuestro viaje.

—Tranquilo, que ya llegará.

A la salida del restaurante, Einar se tiró al suelo, sobre la nieve recién caída, y empezó a mover sus brazos, doblados por el codo, para mostrarnos cómo se hacían los ángeles. Había nevado mucho y el paisaje parecía completamente transformado; como si nos hubiéramos trasladado a otro país. ¿Sería el de los elfos? Imitando a Einar, yo también me tiré sobre la nieve y quise dejar la huella de un ángel sobre fondo blanco. Mientras braceaba, pensé que aquello sólo podía ser una tontería inducida por la cerveza, o quizá por una mala digestión del tiburón. También podía ser, a juzgar por cómo nos miraba una pareja de ancianos, una salvajada impresentable. Pero, qué más daba... Al fin y al cabo, a partir de aquella noche yo me había convertido en un auténtico vikingo.

# 27

## En la ciudad blanca

Nevó sin parar durante toda la noche y durante todo el día siguiente. Vista desde casa, Reykiavik era una ciudad cubierta de una inmensa cortina blanca que se depositaba lentamente sobre una alfombra del mismo color. El blanco cubrió la hierba parda de los parques y el asfalto de las calles y se instaló en los tejados de las casas y en las ramas desnudas de los árboles. En unas pocas horas el paisaje se vistió de blanco y Reykiavik se convirtió en una ciudad nueva, en una preciosa postal en blanco y negro. Apenas si circulaban coches; el silencio se adueñó de la ciudad. A mediodía, detrás de las cortinas, se veían luces encendidas en el interior de las casas y se adivinaban ambientes cálidos que la gente se resistía a abandonar.

Después de comer, salimos con Teresa a pasear por la ciudad blanca. Subimos al autobús número 5 y nos dirigimos al centro. Las calles de siempre, las tiendas de siempre, los bares de siempre... eran ahora una infinita variación en blanco. Como si Reykiavik se hubiera convertido en un decorado en miniatura que alguien había pintado con un spray. O una de esas bolas de nieve que venden como recuerdos. Nevaba y todo quedaba envuelto en un manto de silencio, de irrealidad.

Nos refugiamos en el Vegamót para comer. La nieve acumulada en la acera hacía que el bar fuera irreconocible desde el exterior, pero reconfortaba comprobar que todo seguía igual en el interior. El mismo ambiente cálido, las mismas camareras sonrientes, la misma gente que tomaba café y cerveza. La vida continuaba, a pesar de la nieve que veíamos caer sin cesar a través de la ventana.

Huyendo del frío y de la nieve, nos refugiamos en el Kolaportid después de comer. El Kolaportid es el rastro local, una especie de oasis de comercio mediterráneo en medio de la ciudad. Está instalado en un almacén del puerto y alberga una serie de paradas con todo tipo de objetos antiguos: desde muebles y ropa hasta trastos irreconocibles, desde discos y libros hasta fotos antiguas. Fue allí donde nos encontramos con Ásgeir, el cuñado de Einar.

—¿Cómo está el vikingo Ragnar? —me saludó con una sonrisa.

—Pues, ya ves, huyendo del frío.

—¿Frío? Pero si esto no es nada para un vikingo —soltó una carcajada—. De todos modos, si queréis entrar en calor os invito a un café en mi estudio, que está aquí al lado.

El estudio de Ásgeir estaba instalado en el altillo de un anticuario, muy cerca del puerto. Para llegar a él había que pasar, en una especie de gincana improvisada, por un almacén lleno de muebles y trastos viejos. A través de una estrecha escalera de madera, en la que ya se empezaba a oler a pintura y a disolventes, se entraba en un típico estudio de pintor, con cuadros por todas partes, esbozos, manchas de pintura, tubos torturados y pinceles en remojo.

—Estoy preparando una exposición sobre Reykiavik —comentó Ásgeir mientras nos pasaba una taza de café.

Los cuadros, apoyados en el suelo y contra la pared, reproducían distintos aspectos de la ciudad, con formas alargadas y colores muy vivos.

—Me gustan —le dije a Ásgeir—. En tus cuadros Reykiavik tiene aspecto de pueblo.

—¡Es que Reykiavik es un pueblo! —se echó a reír—. ¡No me digas que aún no te has dado cuenta!

Teresa comentó que, a pesar de que estábamos en pleno invierno, no había ningún cuadro con nieve. El paisaje de alguno de ellos coincidía con lo que podía verse por la ventana del estudio, pero el ambiente de los cuadros era siempre soleado y primaveral.

—¿Nieve en un cuadro? —se sorprendió Ásgeir—. No vendería ni uno. La gente en Islandia compra cuadros alegres para contemplarlos en invierno y olvidar que vive en un país tan frío.

Ásgeir llamó por teléfono a Einar y quedamos para beber una cerveza en el Kaffi List. No fue una, claro, sino varias. Y también varios bares. La última, ya entrada la noche, fue en el Kaffi Next, un nuevo bar de la zona del centro. El local era tranquilo, sin música, con gente que hablaba pausadamente y con un diseño neutro. Era como un retorno a los viejos cafés de pueblo; sólo faltaban las cartas y el dominó. La mayoría de los clientes eran cuarentones con pinta de progres.

—Ahí tienes a la alcaldesa —señaló Einar.

Estaba en una mesa con un grupo de amigos, hablando sin ningún tipo de afectación. Me gustó aquella imagen. La alcaldesa de Reykiavik, como cualquier otro ciudadano, podía dejarse caer por un bar de moda sin que nadie se alterara.

Pedimos unas cervezas y brindamos por mi nueva personalidad vikinga.

—*Skál fyrir Valhöll!* —levantó su vaso Einar.

Todos le imitamos. A continuación, Einar volvió a explicarnos lo guapa que estaba su hija y habló largo y tendido sobre la obra de teatro que estaba escribiendo.

—¿Crees que veremos una aurora boreal? —le pregunté, preocupado por la nevada que estaba cayendo.

—Seguro —respondió sin dudarlo—. Todos los espiritistas del país están trabajando para que no te vayas sin verla. Cuando menos lo pienses, dejará de nevar, las nubes se apartarán y la aurora boreal reinará en el cielo de Reykiavik.

—Para verla es mejor ir al campo, donde hay menos contaminación lumínica —intervino Ásgeir—, pero también puede verse desde Reykiavik.

—¿Habéis visto muchas?

Los dos se miraron y sonrieron.

—Por supuesto —dijo Einar—. Cada año vemos muchísimas. Normalmente no les prestamos atención, pero recuerdo que hace cosa de un mes, regresaba a casa por la noche y de repente una aurora maravillosa se puso a bailar en el cielo. Era de una belleza increíble. Estuve parado en medio de la calle durante más de media hora.

Hablamos del invierno y del verano, del sol de medianoche y de las auroras boreales, de las playas de España y de los volcanes de Islandia. Al final, pasada la medianoche, Einar insistió en pagar. Se sacó la tarjeta Visa del bolsillo y, al hacerlo, le cayeron unas monedas al suelo. Entre Teresa y yo las recogimos para devolvérselas, pero él las rechazó, indignado.

—¡Dinero, bah! —dijo entre despectivo e histriónico—. No lo necesito. ¡Estamos en Islandia!

Volvió a lanzar las monedas al suelo, esta vez más lejos. Ásgeir se unió a la fiesta desprendiéndose también de sus monedas.

—El dinero es un rollo —proclamó, puesto en pie, solidario con su cuñado—. No lo necesitamos para nada. Tenemos que pensar en el hoy y no en el mañana. Hoy somos felices, ¿no? Pues ya está. Islandia es uno de los países más ricos del mundo, ganamos mucho dinero pero no sabemos cómo gastarlo. Estamos lejos de todas partes y si tienes un cáncer el estado lo paga todo. Así, pues, ¿para qué queremos el dinero?

Tanto él como Einar, animados por esta declaración, procedieron a hurgar en sus bolsillos en busca de más monedas que, sin dilación, se añadieron a las que ya estaban en el suelo. Nadie les prestó demasiada atención, como si lo de tirar el dinero fuera una vieja tradición islandesa.

A través de la ventana se veía cómo arreciaba la nevada. Nevaba con fuerza y la ventisca alborotaba los copos y cegaba la visión. Entró un hombre con abrigo, gorro de pieles y cara de frío, con una expresión congelada que parecía que llegaba directamente de una expedición por el Ártico. Cuando se sacudió el abrigo, quedó en el suelo un montón de nieve. Nadie le miró. El hombre, reconfortado, se acercó a la barra y pidió una cerveza.

Cuando fuimos con Teresa a buscar un taxi para regresar a casa, sentimos, entre ateridos y alborozados, el frío y la nieve en la cara. ¡Estábamos bajo la nieve en Reykiavik y era maravilloso! En la calle Laugavegur los coches seguían empeñados en reanudar la procesión de cada día: uno detrás de otro, a marcha lenta, fieles al juego de ver y dejarse ver. La única diferencia respecto al verano era que ahora iban con las ventanas cerradas. A pesar de ello, podía oírse, como un eco enlatado, el característico chumba chumba de la música machacona. Los bares también estaban llenos y la gente estaba alegre. Era fin de semana y había que celebrarlo. Qué más daba si era invierno o verano...

## 28

# La aurora boreal

Dejó de nevar poco después de que llegáramos a casa; dejó de nevar y arreció el frío. Afortunadamente, la calefacción fucionaba al máximo. Me senté en el sofá y volví a leer, por enésima vez, la descripción que de la aurora boreal hace la guía *Lonely Planet*: «Hay pocas visiones tan hipnotizadoras como una aurora boreal. Aunque éstas se presentan en muchas formas distintas —columnas, trazos muy finos, jirones y halos de luz que vibra—, las más memorables son las que tienen forma de pálidas cortinas que se mueven como impulsadas por una ligera brisa. Con frecuencia, la aurora boreal se muestra como una luz verde o rosa pálido o, en períodos de actividad extrema, puede variar a amarillo o carmesí».

A continuación venía la explicación técnica: «La aurora boreal (que en el hemisferio sur se llama austral) está causada por corrientes de partículas solares cargadas de electricidad que forman el viento solar y que son desviadas por el campo magnético de la Tierra hacia las regiones polares. Dado que este campo se curva hacia abajo, en un halo alrededor de los polos magnéticos, las partículas cargadas son dirigidas hacia la Tierra. Su interacción con electrones en los átomos de nitrógeno y oxígeno de las capas superiores de la atmósfera (a unos 160 kilómetros por encima de la superficie terrestre) desprende energía y crea la aurora visible. En los períodos de actividad alta, una tormenta auroral puede producir un trillón de vatios de electricidad con una corriente de un millón de amperios».

Me acerqué a la ventana después de releer este fragmento y —¡milagro!— vi que las nubes se estaban abriendo y que en el cielo se dibujaba una columna de un verde apagado, como el humo de una chimenea. Le pregunté a Teresa si aquello podía ser la aurora boreal y ella, sin pensárselo dos veces, se lanzó a la calle para verla mejor.

—¡Es la aurora! —gritaba, extasiada, mientras daba grandes zancadas por la nieve como una posesa—. ¡Claro que es la aurora!

Me puse las botas, el gorro y el anorak y me reuní con ella. El verde de la columna se había hecho más brillante y empezaba a ondular suavemente en el cielo.

—¡Es la aurora! —grité, entusiasmado, mientras abrazaba a Teresa en la nieve.

Alertados por nuestros gritos, unos vecinos salieron a la calle a ver qué pasaba. Cuando, alborozados, les mostramos la aurora boreal, se echaron a reír.

—Ésta es muy discreta —nos dijo uno de ellos, un joven de pelo largo—. Hay días en que se muestra en todo su esplendor y que el cielo se llena de colores que bailan sobre la noche de Reykiavik.

Colores que bailan sobre la noche. Sonaba a sueño psicodélico. Debía de ser maravilloso. De momento, sin embargo, teníamos aquella larga columna de color verde que ondeaba hasta romperse en mil pedazos. Era como una cortina movida por la brisa, como un hipnotizador juego de luces en tres dimensiones.

Huyendo de las luces de la ciudad, corrimos con Teresa hasta lo alto de la colina. Hacía frío, pero no nos importaba. Desde lo alto, lejos de la contaminación lumínica, se veía mucho mejor aquella nube verdosa que parecía dotada de vida propia. Se movía, cambiaba de forma, ondeaba, se rompía en pedazos... Arriba reinaba la aurora; abajo se veía la ciudad blanca, la ciudad que dormía, las casas cerradas, las ventanas sin luz.

—¡Es maravilloso! —exclamó Teresa.

—Indescriptible —murmuré mientras recordaba las fotos que había visto anteriormente. Nada podía captar la emoción de una aurora boreal en directo.

Desde allí mismo llamamos a nuestros hijos para que compartieran con nosotros aquel momento. Nos hicieron describir la aurora al detalle, pero no había palabras para algo tan bonito y al mismo tiempo tan efímero.

Minutos después, por desgracia, las nubes volvieron a adueñarse del cielo y la misteriosa luz verde desapareció. Fue entonces cuando nos dimos cuenta del frío que hacía —seis grados bajo cero— y de la necesidad de volver a casa.

—¡Menudo regalo de cumpleaños! —me abrazó Teresa con los ojos chispeando de emoción—. Eres todo un vikingo y has visto la aurora boreal.

—Me siento lleno de nuevas energías —dije riendo, mientras me acordaba del volcán Snaefellsjökull y de su famosa energía cósmica.

Tal como nos había anunciado Einar, todo había salido a pedir de boca, como en un guión milimetrado. De entrada, cuando llegamos al aeropuerto, nos había invadido la desilusión al ver aquel paisaje sin nieve, la ciudad gris, la lluvia, el viento... En un par de días, sin embargo, la situación había cambiado radicalmente y ahora teníamos ante nosotros todo lo que más ansiábamos encontrar: la nieve, la ciudad blanca, la noche fría, la magia de la aurora boreal...

Era muy tarde, pero aun así llamé a Einar para darle las más efusivas gracias y para decirle que tanto Teresa como yo habíamos visto una preciosa aurora boreal y nos sentíamos muy felices.

—Veo que mis amigos espiritistas se han portado —celebró, riendo.

Aquella noche nos costó dormir. Estábamos excitados como niños con zapatos nuevos. Cerraba los ojos y veía aquella luz verde moviéndose en el cielo. Nos levantamos varias veces para observar el cielo desde la ventana. Al principio sin éxito. Hacia las tres de la madrugada, sin embargo, Teresa me despertó con urgencia.

—¡La aurora ha vuelto! —me anunció, excitada.

Salimos a la calle con anorak, botas y gorro de lana. El frío era aún más intenso que antes, pero la aurora era también mucho más generosa. Era preciosa, espectacular: como el rastro de un avión supersónico que cruzaba todo el cielo y se deshacía en olas lentamente. Era de un color verde brillante y se movía dibujando en el cielo unas ondulaciones mágicas, muy lentas. Cada pocos minutos cambiaba de forma y de color: se ensanchaba, se partía en una serie de líneas discontinuas y de nuevo volvía a iluminarse. Recordé el verso de Ungaretti —*«M'illumino d'immenso»*— y me sentí partícipe de aquella comunión con el mundo, de aquel momento único.

Estuvimos mucho tiempo contemplando el cielo, fascinados por la aurora, subyugados por aquel espectáculo de belleza suprema. Estábamos a diez grados bajo cero, pero no nos importaba en absoluto. Aquel regalo de la naturaleza se expresaba en tres dimensiones, con volúmenes que iban cambiando de forma, olas a cámara lenta, expansiones y contracciones súbitas. En un momento dado, en el interior de una gran mancha verde surgió un punto negro que fue aumentando de tamaño hasta que toda la luz pareció vaciarse hacia él, como en un agujero negro.

Era como si estuviéramos asistiendo al nacimiento de una galaxia, a la expresión máxima de la creación. La luna, en cuarto creciente, presidía un cielo majestuoso en el que una misteriosa luz verde parecía bailar entre las estrellas, por encima de la ciudad vestida de blanco y de silencio. Era una maravilla, algo único, la culminación de un sueño islandés.

## Agradecimientos

El autor quiere dar las gracias públicamente a todos los que le ayudaron a escribir *La isla secreta*. Muchos de ellos ya aparecen en las páginas de este libro, pero merecen una mención especial Einar Örn Gunnarsson, a quien va dedicado este libro, Úa Matthíasdóttir, que le ayudó a conocer Islandia desde Barcelona, y Rithöfundasamband Íslands, la asociación de escritores islandeses que le permitió una productiva estancia en la Gunnarshús de Reykiavik. *Milljón sinnum takk*.

# Índice

## III

### REYKIAVIK, DE NUEVO



## IV

### EN BUSCA DE LA ISLA PERDIDA



## V

### REGRESO EN INVIERNO